D0318089

LA MARIÉE ÉTAIT EN BLANC

D'abord secrétaire puis hôtesse de l'air, ce n'est qu'au décès de son mari que Mary Higgins Clark se lance dans la rédaction de scripts pour la radio. Son premier ouvrage est une biographie de George Washington. Elle décide ensuite d'écrire un roman à suspense, *La Maison du guet*, son premier best-seller. Encouragée par ce succès, elle poursuit tout en s'occupant de ses enfants. En 1980, elle reçoit le Grand prix de littérature policière pour *La Nuit du renard*. Mary Higgins Clark écrit alors un roman par an, toujours accueilli avec le même succès par le public. Elle est traduite dans le monde entier et plusieurs de ses romans ont été adaptés pour la télévision.

Alafair Burke est considérée comme l'une des nouvelles voix du polar contemporain. Ancienne adjointe du procureur de Portland, et fille du célèbre auteur James Lee Burke, elle enseigne le droit pénal à New York. Ses romans sont traduits en 12 langues. Son premier ouvrage traduit en France, *Jamais vue*, est paru en 2013 aux éditions Télémaque.

MARY HIGGINS CLARK
ET ALAFAIR BURKE

La mariée était en blanc

ROMAN TRADUIT DE L'ANGLAIS (ÉTATS-UNIS)
PAR ANNE DAMOUR ET SABINE PORTE

ALBIN MICHEL

Titre original :

ALL DRESSED IN WHITE
Publié en accord avec l'éditeur original
Simon & Schuster, Inc., New York.

En souvenir de
Joan Nye
Chère amie de l'époque de la Villa Maria Academy
Avec tendresse
MARY

Pour Richard et Jon
ALAFAIR

Voici la mariée toute de lumière vêtue
Radieuse, exquise, elle brille à ses yeux
Gracieuse telle une colombe vers son époux
Elle s'avance les yeux emplis d'amour

L'amour qu'ils ont attendu, longtemps espéré
Devant eux la vie s'avance, ouvrant sa main.

Prologue

Jeudi soir, mi-avril, au Grand Victoria Hotel de Palm Beach.

Amanda Pierce, la future mariée, essayait sa robe avec l'aide de son amie de cœur, Kate.

« Pourvu qu'elle m'aille, dit-elle, mais la fermeture Éclair franchit sans effort le passage délicat des hanches.

— Je ne comprends pas. Comment as-tu pu imaginer une seule seconde qu'elle ne t'irait pas ? dit Kate d'un ton détaché.

— Eh bien, après avoir tellement maigri l'an passé, j'avais peur d'avoir repris du poids et qu'elle me serre à la taille. J'ai préféré m'en assurer maintenant plutôt que samedi. Tu nous vois en train de nous débattre avec cette fermeture juste avant d'entrer dans l'église ?

— Aucun risque, déclara fermement Kate. Je me demande pourquoi tu étais si nerveuse. Regarde-toi. Tu es ravissante. »

Amanda se contempla dans la glace. « Elle me va bien, n'est-ce pas ? » Elle en avait essayé plus d'une centaine, était entrée dans les boutiques les plus chic, avant de repérer cette robe dans un petit magasin de Brooklyn Heights. En soie crème, de forme Empire, avec un corsage incrusté de dentelle faite à la main, exactement la robe de ses rêves. Dans quarante-trois heures, elle la porterait pour avancer vers l'autel.

« Mieux que bien, déclara Kate. Alors pourquoi as-tu l'air si triste ? »

Amanda jeta un dernier regard à son reflet. Blonde, avec un visage en forme de cœur, de grands yeux bleus ourlés de longs cils, des lèvres framboise, elle n'ignorait pas qu'elle avait été dotée d'une beauté parfaite. Mais Kate avait raison. Elle avait l'air triste. Pas vraiment triste, plutôt inquiète. La robe lui allait à merveille, se rassura-t-elle à nouveau. C'était un signe, non ? Elle se força à sourire. « Je me demandais seulement ce que je pourrais manger ce soir sans risquer d'être boudinée samedi. »

Kate éclata de rire et tapota son ventre rebondi « Ne dis pas ça, surtout devant moi. Sérieusement, Amanda, tu vas bien ? Tu penses toujours à notre conversation d'hier ? »

Amanda fit un geste de la main. « Pas une seule hésitation », répondit-elle, consciente de taire la vérité. « Aide-moi à ôter tout ça. Les autres doivent être prêts pour le dîner. »

Dix minutes plus tard, seule dans sa chambre, vêtue de lin bleu clair, Amanda remit en place une boucle d'oreille et jeta un dernier regard sur la robe de mariée, à présent soigneusement étalée sur le lit. Puis elle repéra une trace de maquillage sur la dentelle sous l'encolure. Elle avait eu beau faire très attention, la tache était visible. Elle s'en irait, bien sûr, mais peut-être était-ce le présage qu'elle attendait ?

Elle avait passé la presque totalité des deux derniers jours comme étrangère aux préparatifs de son mariage, guettant le moindre indice lui révélant quel serait son destin. L'œil fixé sur cette tache, elle fit un vœu, non pour son futur mari, mais pour elle-même. Nous n'avons qu'une vie sur cette terre, et la mienne sera heureuse. Si j'ai encore la moindre hésitation, je ne me marierai pas samedi.

Je le saurai bientôt, se dit-elle.

À ce moment précis, elle se sentait complètement sûre d'elle. Comment aurait-elle imaginé que, le lendemain matin, elle aurait disparu sans laisser de traces ?

1

Laurie Moran écouta la jeune fille devant elle articuler les quelques mots de français qu'elle avait appris au lycée. Elle faisait la queue chez Bouchon, la nouvelle boulangerie française qui avait ouvert au coin de son bureau dans Rocke-feller Center.

« Jé vudrai une pan chocolate. »

La caissière garda un sourire patient pendant que la jeune fille formulait ce qu'elle désirait ensuite. Elle était visiblement habituée aux efforts mala-droits de ses clients pour pratiquer une langue étran-gère, bien que la boulangerie fût située au cœur de New York.

Laurie n'avait pas cette patience. Elle avait rendez-vous dans l'après-midi avec son patron, Brett Young, et n'avait pas encore décidé quelle histoire lui présenter en premier pour sa prochaine émission. Elle avait besoin de temps pour y réfléchir.

Après un dernier « Marci », la fille s'en alla, une boîte de gâteaux à la main.

Laurie prit sa suite. « Je vais commander en *anglais, s'il vous plaît* *.

— *Merci* * », dit la femme, visiblement soulagée.

C'était devenu une tradition. Le vendredi matin, Laurie s'arrêtait à la boulangerie et achetait quelques extras pour son équipe – son assistante Grace Garcia et son adjoint à la production, Jerry Klein. Ils raffolaient des tartes, croissants et petits pains qu'elle leur apportait. Après avoir pris sa commande, la caissière lui demanda si elle désirait autre chose. Les *macarons* * semblaient délicieux. Pourquoi pas quelques-uns pour son père et Timmy au dessert, et un pour elle si le rendez-vous avec Brett se passait bien ?

En sortant de l'ascenseur au quinzième étage du 15 Rockefeller Center, Laurie constata avec satisfaction que l'aménagement intérieur des Studios Fisher Blake reflétait le succès du travail accompli l'an passé. Jusque-là elle occupait un petit bureau aveugle et partageait une assistante avec deux autres producteurs, mais depuis qu'elle avait créé une émission de téléréalité basée sur des crimes non élucidés, sa carrière avait décollé. Aujourd'hui elle jouissait d'une pièce spacieuse au mobilier moderne et épuré dotée de plusieurs fenêtres. Jerry avait été

---

* Les mots suivis d'un astérisque sont en français dans le texte. (*Toutes les notes sont des traductrices.*)

promu adjoint à la production et occupait une pièce adjacente, plus petite. Et Grace s'activait plus que jamais dans le vaste open space à côté. Tous les trois travaillaient maintenant à plein temps pour l'émission *Suspicion*, sans plus s'occuper de la programmation des actualités.

Grace venait de fêter son vingt-septième anniversaire bien qu'elle parût beaucoup plus jeune. Laurie avait souvent été tentée de lui dire qu'elle n'avait pas besoin de se maquiller tous les jours avec autant de soin mais la jeune femme affichait volontiers un style très différent des goûts classiques de sa patronne. Aujourd'hui, elle portait une tunique de soie multicolore sur un legging hypermoulant, le tout agrémenté de bottines à semelles compensées de douze centimètres. Ses longs cheveux noirs étaient ramassés en un chignon perché au-dessus du crâne, disposé en une fontaine de forme parfaite.

Elle se précipitait d'habitude avec enthousiasme sur le sac de viennoiseries, mais aujourd'hui elle n'en fit rien. « Laurie, commença-t-elle lentement.

— Qu'y a-t-il, Grace ? » Laurie connaissait assez bien son assistante pour deviner que quelque chose la tracassait.

Au moment où Grace s'apprêtait à s'expliquer, Jerry sortit de son bureau. Entre son échalas d'adjoint et son assistante juchée sur ses talons stratosphériques, Laurie avait toujours l'impression d'être courte sur pattes, malgré son mètre soixante-dix et sa silhouette élancée.

Jerry leva les deux mains. « Une dame t'attend dans ton bureau. Elle vient d'arriver. J'avais dit à Grace de prendre un rendez-vous à un autre moment. Bref, je n'y suis pour rien. »

2

Sandra Pierce regardait par la fenêtre du bureau de Laurie Moran. Quinze étages plus bas se trouvait la célèbre patinoire du Rockefeller Center. En tout cas, c'est ce que Sandra se représentait toujours, même aujourd'hui, en plein mois de juillet, quand la piste de glace sur laquelle virevoltaient les patineurs était temporairement remplacée par un jardin d'été et un restaurant.

Elle revoyait ses enfants s'élancer en se tenant par la main plus de vingt ans auparavant. Charlotte, l'aînée, d'un côté ; Henry, son cadet, de l'autre. Au milieu leur petite sœur, Amanda. Son frère et sa sœur la tenaient si fermement que lorsque ses patins se soulevaient du sol, elle restait toute droite entre eux.

Avec un soupir Sandra se détourna de la fenêtre et inspecta la pièce du regard pendant qu'elle attendait. Elle s'étonna de l'ordre qui y régnait. Elle n'était jamais entrée dans un studio de télévision et s'était imaginé un de ces vastes espaces ouverts avec des rangées de bureaux comme ceux que l'on voit à l'arrière-plan des journaux télévisés. Au lieu de quoi, la pièce où travaillait Laurie Moran donnait l'impression d'une sobre mais confortable salle de séjour.

Sandra remarqua une photo encadrée sur le bureau. S'assurant que la porte était fermée, elle la souleva et l'examina. C'était Laurie avec son mari, Greg, sur une plage. Elle supposa que le petit garçon au premier plan était leur fils. Sandra ne connaissait pas la famille personnellement, mais elle avait vu des photos de Laurie et de Greg sur le Net. L'émission *Suspicion* avait attiré sa curiosité dès le premier épisode. Cependant, c'était la lecture d'un article récent, mentionnant que la productrice avait elle-même été au centre d'une histoire de meurtre non élucidé, qui avait incité Sandra à vouloir la rencontrer.

Elle regretta aussitôt son incursion dans l'intimité de Laurie. Elle-même n'aurait pas aimé qu'un étranger regarde des photos sur lesquelles elle figurait avec Walter et Amanda. Ses traits se crispèrent au souvenir de la dernière fois où elle s'était trouvée avec son ex-mari et sa benjamine. C'était il y a cinq ans et demi – le dernier Noël avant le mariage d'Amanda. Ou ce qui *aurait dû* être son mariage.

Est-ce que je m'habituerai jamais à considérer Walter comme mon ex-mari ? se demanda-t-elle. Elle avait connu Walter quand elle était en première année à l'université de Caroline du Nord. Avec un père militaire, elle avait vécu un peu partout dans le monde, mais jamais dans le sud des États-Unis.

Elle avait eu du mal à s'acclimater, comme si les autres étudiants originaires de la région vivaient selon un code tacite qu'elle ne comprenait pas. Sa camarade de chambre l'avait emmenée au premier match de football de la saison, lui assurant qu'il suffisait d'encourager les Tar Heels pour devenir une authentique fille du pays. Son frère était venu avec un ami. Il était étudiant en deuxième année. Il s'appelait Walter et était de la région. Il avait passé plus de temps à parler avec Sandra qu'à regarder le match. Quand ils avaient tous entonné le chant guerrier de rigueur en quart de finale – *I'm a Tar Heel born, I'm a Tar Heel bred, and when I die, I'm a Tar Heel dead*[1] –, Sandra avait pensé en son for intérieur : Je crois que j'ai rencontré l'homme de ma vie. Elle ne se trompait pas. Ils avaient élevé trois enfants à Raleigh, à une petite demi-heure de trajet du stade où ils s'étaient connus.

Sur leurs trente-cinq ans de mariage, ils s'étaient mutuellement soutenus dans leurs domaines respectifs pendant trente-deux ans. Sans véritablement travailler dans l'entreprise familiale de Walter, Sandra ne manquait jamais de le conseiller pour le lancement de nouveaux produits, les campagnes de publicité, et en particulier pour ce qui touchait aux problèmes du personnel. Des deux, elle était la plus attentive aux sentiments et aux motivations des gens. Walter

---

1. « Je suis né Tar Heel, j'ai grandi Tar Heel et, quand je mourrai, je serai un Tar Heel mort. »

de son côté l'aidait de son mieux dans ses activités à la paroisse, à l'école, et dans les projets communautaires qui lui avaient toujours tenu à cœur. Elle retint un sourire en revoyant son gros ours de Walter numérotant des centaines de minuscules canetons en caoutchouc avec un stylo feutre pour la tombola de la chasse au canard sur l'Ol' Bull River, prononçant chaque numéro à haute voix à mesure qu'il ajoutait un nouveau canard à la pile.

Walter disait volontiers qu'ils partageaient tout dans la vie. Ce n'était pas tout à fait vrai, elle s'en rendait compte maintenant. Il avait beau faire des efforts, Walter n'avait pas la fibre paternelle. Il assistait aux récitals et aux matchs de baseball, mais les enfants voyaient bien que son esprit était ailleurs. Il était obnubilé par son travail – une ligne de nouveaux produits, des défauts de fabrication dans l'une des usines, un revendeur qui exigeait davantage de rabais. Pour Walter, son véritable devoir de père était de prendre soin de son entreprise, d'assurer à la famille un héritage et une sécurité financière. C'était à Sandra de combler son manque d'attachement sentimental pour leurs trois enfants.

Deux ans auparavant, donc, elle avait pris une décision. Elle savait qu'elle ne supporterait pas plus longtemps l'extrême embarras de Walter quand elle mentionnait le nom d'Amanda. Nous avions deux façons différentes d'avoir de la peine, pensa-t-elle, et à nous deux cela faisait trop de chagrin sous un même toit.

Elle redressa le badge TOUJOURS DISPARUE épinglé à son revers. Elle ne comptait plus combien elle en avait fait imprimer durant toutes ces années. Walter avait horreur de ces trucs qui traînaient partout dans la maison. « Je ne supporte plus de les voir, disait-il. Je ne peux pas passer une seule minute chez moi sans imaginer ce qui est arrivé à Amanda. »

S'attendait-il vraiment à ce qu'elle cesse de rechercher leur fille ? C'était impossible. Sandra resta dévouée à sa mission, et Walter reprit le cours de sa vie. Plus d'objectif commun.

Si bien que Walter était à présent son « ex-mari », aussi étrange que le mot lui paraisse encore. Elle vivait à Seattle depuis presque deux ans. Elle s'y était installée pour être plus près d'Henry et de sa famille. Elle habitait une belle maison coloniale en haut de Queen Anne, et ses deux petites-filles y avaient leur propre chambre quand ils restaient la nuit chez leur grand-mère. Naturellement, Walter était resté à Raleigh. Il y était obligé pour la bonne marche de la société, disait-il, au moins jusqu'à sa retraite – qu'il ne prendrait jamais.

Sandra entendit des voix à l'extérieur du bureau et regagna sa place sur le long canapé de cuir blanc situé sous les fenêtres. S'il vous plaît, Laurie Moran, s'il vous plaît, vous êtes ma dernière chance.

3

Quand Laurie pénétra dans son bureau, la femme qui l'attendait se leva immédiatement du canapé pour lui tendre la main.

« Madame Moran, merci infiniment de me recevoir. Mon nom est Sandra Pierce. » La poignée de main était ferme et accompagnée d'un regard franc et direct, mais Laurie vit tout de suite que sa visiteuse était fébrile. Ses paroles semblaient avoir été répétées et sa voix tremblait.

« Votre assistante a été très aimable de me laisser attendre ici. Je crois que j'étais au bord de l'évanouissement. J'espère ne pas l'avoir dérangée. Elle a vraiment été très gentille avec moi. »

Laurie posa doucement une main sur le coude de la femme. « Je vous en prie, Grace m'a déjà expliqué que vous étiez bouleversée. Ça va mieux ? »

Un rapide coup d'œil autour d'elle lui suffit pour constater que le cadre sur son bureau était disposé selon un angle très légèrement différent. Tout autre objet aurait pu être déplacé sans qu'elle le remarque, mais cette photo avait une importance particulière. Pendant cinq ans, la pièce avait été dépourvue de tout souvenir de famille. Elle ne voulait pas que ses collègues soient constamment obligés de se rappeler que son mari avait été assassiné, et que le crime n'avait toujours pas été élucidé. Mais lorsque la police avait identifié le meurtrier de Greg, Laurie avait fait encadrer cette photo – la dernière où ils figuraient tous les trois ensemble, elle, Greg et Timmy – et l'avait placée sur son bureau.

La femme hocha la tête, mais elle semblait près de s'effondrer à tout instant. Laurie la reconduisit jusqu'au canapé pour lui permettre de reprendre ses esprits.

« Je suis désolée, je ne suis pas si nerveuse d'habitude », commença Sandra Pierce. Elle joignit les mains sur ses genoux pour les empêcher de trembler. « C'est seulement que j'ai parfois l'impression de ne plus savoir vers qui me tourner. La police municipale, la police fédérale, les procureurs, le FBI. J'ai vu je ne sais plus combien de détectives privés. J'ai même engagé un médium. Il m'a dit qu'Amanda serait réincarnée en Amérique du Sud dans un futur proche. Je n'ai plus rien tenté de ce genre. »

Laurie avait du mal à suivre face à un tel torrent de paroles, mais ce qu'elle entendait lui suffisait pour comprendre que Sandra Pierce faisait partie de ces gens qui pensaient que *Suspicion* pourrait résoudre leurs problèmes. Aujourd'hui, avec le succès de sa diffusion, il semblait que le nombre d'auditeurs persuadés qu'une émission de téléréalité pouvait réparer toutes les injustices ne cesserait jamais d'augmenter. Tous les jours, la page Facebook de la chaîne débordait de récits détaillés de tragédies, censées être toutes plus terribles les unes que les autres – voitures volées, maris infidèles, propriétaires détestables. Certaines des personnes qui cherchaient de l'aide en avaient sincèrement besoin, cela ne faisait aucun doute, mais peu semblaient comprendre que la vocation de *Suspicion* était de résoudre des crimes restés inexpliqués, pas des délits mineurs. Même contactée par les victimes légitimes d'un crime ou par leur famille, Laurie avait maintes fois dû les éconduire. Elle ne pouvait produire qu'un nombre réduit d'émissions spéciales.

« Je vous en prie, madame Pierce, prenez votre temps », dit-elle, pourtant consciente que l'heure tournait. Elle alla à la porte et demanda à Grace de leur apporter deux cafés. Elle avait redouté que son assistante ait fait entrer n'importe qui sans réfléchir dans son bureau, mais elle comprenait maintenant ce qui l'avait poussée à le faire. Il y avait quelque chose d'émouvant chez cette femme.

Quand elle se retourna vers Sandra Pierce, elle fut frappée par la délicatesse de ses traits. Un long visage étroit, des cheveux blond cendré qui retombaient librement sur les épaules, des yeux bleu clair. Laurie lui aurait donné plus ou moins le même âge qu'elle, trente-six ans, n'étaient quelques rides révélatrices sur le cou.

« Grace m'a dit que vous êtes venue de Seattle ?

— Oui. J'ai pensé écrire ou téléphoner, mais je me suis dit que vous deviez entendre des centaines d'histoires tous les jours. Je sais que cela peut sembler fou de traverser le pays sans être invité ni annoncé, mais je devais le faire. Je ne voulais pas manquer cette occasion. Je pense que vous êtes mon dernier espoir – non pas vous, je ne suis pas du genre à vous harceler ou je ne sais quoi, mais votre émission. »

Laurie commençait à regretter sa décision d'écouter cette femme jusqu'au bout. Elle avait besoin de temps pour mettre au point sa présentation à Brett. Qu'y avait-il chez Sandra Pierce qui la poussait à se laisser fléchir et à l'écouter ? Elle allait lui expliquer qu'elle devait se préparer pour un rendez-vous quand elle remarqua le badge épinglé sur le blazer de Sandra.

Y figurait la photo d'une jeune fille d'une étonnante beauté. Sa ressemblance avec Sandra était troublante. Un ruban jaune, symbole des personnes disparues, attirait l'attention. Quelque chose dans la photo lui sembla familier.

« C'est pour elle que vous êtes ici, n'est-ce pas ? » dit-elle en désignant le badge.

Sandra baissa les yeux et, comme si quelque chose lui revenait à l'éprit, plongea la main dans la poche de sa veste et en sortit un badge identique. Elle le tendit à Laurie. « Oui, c'est ma fille. Je n'ai jamais cessé de la chercher. »

Maintenant que Laurie pouvait la regarder de plus près, le sourire de la jeune femme éveillait en elle un souvenir lointain. Elle n'avait pas vu cette photo en particulier, mais elle reconnaissait le sourire. « Votre nom de famille est Pierce, n'est-ce pas ? » Elle espéra que prononcer le mot à voix haute lui rafraîchirait la mémoire.

« Oui, Sandra Pierce. Et ma fille est Amanda Pierce. Ma fille est la personne que les médias appellent "La Mariée Envolée". »

4

La Mariée Envolée. À ces mots, Laurie se remémora aussitôt toute l'affaire. Amanda Pierce était une ravissante jeune femme blonde sur le point de se marier avec un bel avocat qu'elle avait connu à l'université. Toutes les dispositions avaient été prises pour une luxueuse cérémonie de mariage à Palm Beach, en Floride. Et le matin qui avait précédé le grand jour, elle s'était tout bonnement volatilisée.

Si cette histoire avait éclaté à un autre moment de sa vie, Laurie aurait reconnu sur-le-champ la photo d'Amanda Pierce. Elle aurait probablement aussi reconnu sa mère, Sandra. À un autre moment, l'histoire d'une jeune mariée qui disparaissait dans la nature juste avant ses noces de rêve aurait été pour elle un sujet en or. Elle savait que certaines personnes se disaient qu'Amanda avait peut-être eu le trac et était partie vivre ailleurs, loin de sa famille envahissante, voire avec un amant secret. D'autres croyaient qu'elle et le futur marié avaient eu la veille une violente querelle qui s'était mal terminée – avec le temps, on finirait par retrouver son corps.

Mais, bien que ce fût le genre d'histoire qui aurait normalement attiré son attention, Laurie n'avait pas suivi l'affaire de près. Amanda Pierce avait disparu quelques semaines à peine après l'assassinat de Greg, tué d'une balle devant Timmy, alors âgé de trois ans. À l'époque où le visage d'Amanda était diffusé sur toutes les chaînes, Laurie avait pris un congé, indifférente à tout ce qui se passait ailleurs.

Elle se souvenait d'avoir éteint la télévision en pensant que si ce n'était pas l'angoisse qui avait fait fuir la mariée, alors quelque chose de terrible avait dû lui arriver. Elle se souvenait qu'elle avait compati avec la famille et pensé qu'elle devait être au désespoir.

Elle continua à examiner la photo, se souvenant de ce jour tragique. Greg avait emmené Timmy au terrain de jeu de la 15e Rue Est. Elle lui avait donné un rapide baiser au moment où il soulevait Timmy sur ses épaules. C'était la dernière fois qu'elle devait sentir la chaleur de ses lèvres.

Par une sorte d'ironie du sort, le mariage d'Amanda Pierce aurait dû avoir lieu au Grand Victoria Hotel. Laurie se souvenait d'y être allée, de Greg la forçant à entrer dans l'eau bien qu'elle protestât en riant que la mer était beaucoup trop froide.

Ses pensées furent interrompues par un coup frappé à la porte. Grace entra, chargée d'un plateau avec deux tasses de café et quelques-unes des viennoiseries que Laurie avait rapportées de chez Bouchon. Laurie la remercia d'un sourire, notant qu'elle avait choisi d'offrir sa pâtisserie préférée – le croissant aux amandes – à Mme Pierce.

« Puis-je vous apporter autre chose ? » Grace n'était pas précisément un modèle de savoir-vivre, mais quand il le fallait, elle se comportait selon les bonnes vieilles traditions.

« Non merci, c'est gentil. » Sandra Pierce se força à sourire.

Grace partie, Laurie se tourna vers Sandra. « Il ne me semble pas avoir entendu parler de la disparition de votre fille récemment.

— Moi non plus, et c'est bien le problème. Même lorsqu'elle a été portée disparue nous avons soupçonné la police de ne pas s'y intéresser outre mesure. Il n'y avait aucune trace de lutte dans la chambre d'Amanda. Rien d'inhabituel alentour. Et le Grand Victoria – l'endroit où devait avoir lieu la cérémonie – était on ne peut plus sûr. Je voyais les policiers regarder leurs montres et leurs portables comme s'ils s'attendaient à ce qu'Amanda rentre chez elle à New York, avouant qu'elle avait été prise de panique à l'idée de se marier. »

Laurie se demandait si les impressions de Sandra sur l'enquête de la police n'étaient pas dictées par de simples préjugés. Même si elle n'avait regardé que des bribes d'informations télévisées à l'époque, elle se rappelait avoir vu des équipes de bénévoles fouillant l'hôtel et le parc pour y trouver un indice de la disparue. « D'après mes souvenirs, des efforts considérables ont été déployés pour la retrouver, dit-elle. On en a parlé sur toutes les chaînes nationales pendant des semaines.

— Oh bien sûr, ils ont fait tout ce qu'il y avait à faire quand quelqu'un disparaît, dit Sandra d'un ton amer. Et nous nous sommes présentés tous les jours devant les caméras, suppliant le public de nous aider à la retrouver.

— Qui était ce "nous" ? » Laurie alla chercher un carnet de notes sur son bureau. L'histoire de Sandra la captivait déjà.

« Mon mari, Walter. Je devrais plutôt dire mon ex-mari, le père d'Amanda. Et son fiancé, Jeff Hunter. En réalité, tous ceux qui assistaient au mariage ont participé aux recherches : mes autres enfants, Charlotte et Henry ; deux des amies de fac d'Amanda, Meghan et Kate ; et deux des camarades d'université de Jeff, Nick et Austin. Nous avons distribué des prospectus dans toute la région. Au début, l'enquête s'est centrée sur les environs de l'hôtel. Puis nous avons élargi le périmètre des recherches. J'avais le cœur serré en les voyant fouiller les endroits isolés, les canaux, les chantiers de construction, les marais le long de la côte. Au bout d'un mois, ils ont arrêté.

— Sandra, je ne comprends pas. Pourquoi l'ont-ils appelée la Mariée Envolée ? Je peux comprendre que la police ait soupçonné un accès de panique pendant quelques heures ou même un jour ou deux. Mais le temps passant, ils ont dû partager votre inquiétude.

Quelle raison les a poussés à croire que votre fille était partie de son plein gré ? »

Voyant que Sandra hésitait à répondre, elle insista : « Vous dites qu'il n'y avait aucune trace de lutte dans sa chambre. Manquait-il sa valise, son sac à main ? » C'était le genre d'informations que la police utilisait pour faire la distinction entre une fugue et un acte criminel. On s'enfuyait rarement sans argent ni papiers d'identité.

« Non, répondit vivement Sandra. Il semble qu'une seule chose ait disparu de son portefeuille, son permis de conduire. Ses vêtements, son sac à main, ses produits de maquillage, ses cartes de crédit, son portable – tout le reste était là. Le soir, elle n'emportait souvent qu'un petit sac avec la carte magnétique de sa chambre, un poudrier et un rouge à lèvres. On ne l'a jamais retrouvé. Elle aurait pu sans mal y glisser son permis de conduire si elle avait eu l'intention d'utiliser la voiture. Jeff et elle en avaient loué une à l'aéroport. À notre connaissance, Amanda a été la dernière à s'en servir quand elle est allée faire des courses dans la matinée avec ses amies. Il y a des places de parking dans l'enceinte de l'hôtel. Et c'est là que la voiture était garée. »

Ou alors, pensa Laurie, elle a pris son permis de conduire, un peu d'argent liquide et est partie retrouver quelqu'un. Laurie comprenait maintenant pourquoi tant de gens avaient imaginé qu'Amanda était partie de son plein gré. Elle avait pourtant une autre question. « Qu'est-il arrivé à la voiture de location ?

— On l'a retrouvée trois jours plus tard derrière une station-service désaffectée à environ huit kilomètres de l'hôtel. »

Sandra avait les lèvres crispées et une colère froide se lisait sur son visage.

« La police s'est obstinée à croire qu'elle avait rencontré quelqu'un à la station d'essence et était montée dans une autre voiture. Le lendemain matin, quand la nouvelle de sa disparition a été révélée et qu'ils ont montré sa photo à la télévision, une femme à Delray Beach a affirmé avoir vu Amanda dans une décapotable Mercedes blanche arrêtée à un feu de croisement aux environs de minuit, le soir de sa disparition. Selon elle, le feu a duré longtemps et elle a eu le temps de tout voir. Amanda était soi-disant assise à la place du passager, mais la femme n'avait aucun souvenir du conducteur à part qu'il paraissait grand et portait une casquette. Cette femme était folle, je le sais. Elle adorait la publicité. Elle aurait fait n'importe quoi pour passer à la télévision.

— Vous pensez que la police l'a crue ?

— La plupart des policiers l'ont crue, dit Sandra avec amertume. Un jour, à l'extérieur du commissariat, j'ai entendu deux inspecteurs discuter. Ils étaient appuyés contre une voiture de patrouille, à fumer et à parler de ma fille comme d'un personnage de série télé. L'un d'eux assurait qu'Amanda avait un petit ami secret – un millionnaire chinois avec qui elle était partie vivre sur une île. L'autre type secouait la tête, et j'ai cru qu'il allait prendre la défense d'Amanda. Au lieu de quoi il a dit – je ne l'oublierai jamais : "Tu me devras dix dollars quand ils ramèneront son corps du fond de l'Atlantique." »

Sandra ravala un sanglot.

« Je suis vraiment navrée, murmura Laurie, ne sachant que dire.

— Oh, croyez-moi, je leur ai dit leur fait ! Il y a une inspectrice qui est encore officiellement chargée de l'affaire. Marlene Henson. C'est une brave femme, mais je sais bien que l'enquête est close. Pardonnez-moi d'être indiscrète, madame Moran, mais je suis venue vous trouver pour une raison bien spécifique. Vous savez ce que c'est que de perdre un être cher. Et d'ignorer pendant des années pourquoi c'est arrivé et à cause de qui. »

Greg avait été tué d'une balle en plein front pendant qu'il poussait Timmy sur une balançoire. Le tireur l'avait intentionnellement visé et il connaissait même le nom de Timmy. « Timmy, dis à ta mère qu'elle sera la prochaine, avait-il menacé. Ensuite ce sera ton tour. » Pendant cinq ans, Laurie n'avait rien su de l'assassin de son mari sinon qu'il avait les yeux bleus. C'était ainsi que son fils l'avait appelé quand il avait crié : « Z'yeux Bleus a tué mon papa ! »

En réponse à la déclaration de Sandra, elle hocha simplement la tête.

« Maintenant imaginez, madame Moran, que vous en sachiez encore moins. Que vous ne sachiez même pas si l'être que vous aimez est mort ou vivant. Que vous ne sachiez pas s'il a souffert ou s'il est ailleurs, en vie et heureux. Imaginez que vous ne sachiez rien. Je suis sûre qu'au fond de vous, vous pensez que j'ai de la chance. Jusqu'à ce qu'on retrouve le corps d'Amanda, je pourrai toujours imaginer qu'elle est en vie. Je n'ai jamais cru qu'elle était partie de son plein gré, mais peut-être a-t-elle été kidnappée et essaye-t-elle de s'échapper. Peut-être a-t-elle été heurtée par une voiture, peut-être est-elle devenue amnésique. Je peux toujours conserver l'espoir. Mais il m'arrive de penser que je serais soulagée d'entendre quelqu'un m'annoncer la terrible nouvelle au téléphone, de me dire que tout est fini. Au moins, je saurais qu'elle est en paix. J'en serais enfin certaine. Jusque-là, je ne peux pas m'arrêter. Je ne cesserai jamais de chercher ma fille. Je vous en prie – vous êtes peut-être ma dernière chance. »

Laurie posa son carnet de notes sur la table basse, se renversa dans son fauteuil et prit son courage à deux mains pour briser les espoirs de Sandra Pierce.

5

Laurie coinça une mèche rebelle derrière son oreille, signe de nervosité chez elle. « Madame Pierce…

— Je vous en prie, appelez-moi Sandra.

— Sandra, je ne peux qu'imaginer votre chagrin de ne pas savoir ce qui est arrivé à Amanda. Mais notre émission a des limites. Nous ne sommes ni la police ni le FBI. Nous revenons sur la scène d'un crime et tentons de recréer les événements à travers la version de ceux qui les ont vécus. »

Sandra Pierce se penchait en avant, prête à défendre sa position. « C'est pourquoi le cas d'Amanda conviendrait parfaitement. Le Grand Victoria est l'un des hôtels les plus célèbres du monde. C'est un décor prestigieux et les gens adorent les histoires de mariage, surtout s'il y a un mystère. Je sais que je peux persuader ma famille, y compris mon ex-mari, Walter, de participer au tournage. J'ai déjà appelé l'une des demoiselles d'honneur, Kate Fulton, et elle est prête à faire tout ce qu'elle peut.

Je pense que les deux garçons d'honneur accepteront également. Quant à Jeff, il n'aura sûrement pas le culot de refuser.

— Ce n'est pas la question, Sandra. D'abord, notre émission s'occupe de crimes non résolus. Des *crimes* qui n'ont jamais été élucidés. Vous dites vous-même que la police n'a aucune preuve tangible que votre fille ait été assassinée. Vous avez peut-être raison, il est possible qu'elle ait été kidnappée. Mais il n'existe à ma connaissance aucun indice révélant qu'un crime ait été réellement commis. »

Les yeux de Sandra s'étaient soudain voilés de larmes.

« Cinq années se sont écoulées depuis, protesta-t-elle. Ma fille était une femme d'affaires accomplie. Elle adorait New York. Il n'y a pas eu de retraits d'argent inhabituels ni de transactions sur sa carte de crédit avant sa disparition et absolument rien depuis. Elle aimait ses amis et sa famille. Elle ne nous aurait pas infligé une telle épreuve. Si elle ne désirait pas se marier, elle l'aurait annoncé à Jeff gentiment et ils auraient poursuivi leur chemin chacun de son côté. Je vous en prie, vous devez me croire – Amanda ne s'est pas enfuie.

— D'accord, mais ce n'est pas le seul problème. Notre émission s'appelle *Suspicion* pour une bonne raison. Dans les crimes qui nous intéressent, les proches de la victime continuent de vivre dans l'ombre du soupçon, même s'ils n'ont jamais été formellement accusés. Jusqu'à aujourd'hui, Amanda a officiellement disparu, mais personne n'a été suspecté de l'avoir assassinée.

— Oh, je crois que Jeff Hunter ne partagerait pas cet avis.

— Le futur marié ? Je croyais que vous aviez dit qu'il était présent avec vous et votre mari, lors des recherches.

— Il l'était, au début, et il ne nous est jamais venu à l'esprit que Jeff pouvait être impliqué dans ce qui est arrivé à Amanda. Mais une semaine après sa disparition, il a engagé un avocat et refusé de parler à la police en dehors de sa présence. Pourquoi en aurait-il eu besoin s'il n'avait rien à se reprocher ? Sans compter qu'il est lui-même avocat !

— C'est étrange en effet. »

Laurie savait que des personnes innocentes prenaient parfois un avocat pour se protéger, mais elle n'y avait jamais songé pour sa part, même quand elle voyait certains policiers la regarder d'un œil soupçonneux après la mort de Greg.

« Et lorsque Jeff est rentré à New York, plusieurs procureurs ont essayé de le faire virer de son cabinet car ils étaient convaincus qu'il était impliqué dans la disparition d'Amanda. Encore aujourd'hui, si vous allez sur les sites des cyberdétectives amateurs, vous trouverez une quantité de gens qui estiment que le cas de Jeff rentre parfaitement dans le cadre de votre émission. Ils seraient les premiers à regarder *Suspicion* si vous couvriez l'histoire d'Amanda. »

Éconduire Sandra s'avérait plus difficile que prévu. L'inquiétude gagnait Laurie, elle sentait qu'elle allait perdre toute sa matinée alors que dans quelques heures elle était censée s'entretenir avec son patron des nouvelles affaires qu'elle voulait lui proposer. Elle en avait sélectionné trois, mais n'avait pas encore arrêté son choix. Elle tenta de rassembler ses pensées.

« Malheureusement, Sandra, les fiancés ou les maris sont toujours les premiers à éveiller les soupçons quand des femmes disparaissent. Mais vous avez dit vous-même que vous ne pensiez pas que Jeff était compromis dans la disparition de votre fille.

— Non, j'ai dit qu'*au début* nous ne l'avons pas cru. Nous avions de la peine pour lui. Mais ensuite les faits se sont accumulés. D'abord, il a engagé cet avocat. Puis nous avons découvert qu'il y avait de l'argent en jeu. Vous savez, Amanda et lui avaient établi un contrat de mariage. Grâce à Walter, notre famille – principalement Amanda qui travaillait pour la société – avait des moyens substantiels ; Jeff, très peu.

— Il me semble vous avoir entendue dire qu'il était avocat.

— Oui, et très brillant de surcroît. Il est sorti major de sa promotion à la Fordham Law School. Mais il n'avait aucune fortune personnelle et n'était pas du genre à travailler pour faire de l'argent. Comme avocat commis d'office, il gagnait le tiers du salaire d'Amanda. Et puis, il y avait l'entreprise portable rebondir quand elles s'entraînent sur le tapis de course au club de gym. Le plus difficile, c'était de la mettre à exécution. Nous avons même embauché un ingénieur qui avait travaillé à la NASA afin de trouver la technique la mieux adaptée pour que tout soit bien calé et parfaitement protégé tout en restant accessible. Le seul rôle qu'a pu jouer Meghan, c'est d'identifier le besoin de ce produit – ce qui avait sans doute déjà été fait par des milliers de gens.

— Et une fois que vous êtes arrivés en Floride, Meghan était-elle toujours aussi fâchée contre Amanda ?

— À en juger par son comportement, non, mais n'importe qui peut donner le change pendant deux ou trois jours. Tout ce que je sais, c'est que la seule chose qui a calmé Meghan, c'est quand Amanda lui a dit que personne ne la croirait. Elle est allée jusqu'à l'avertir qu'en tant que jeune avocate, elle risquait de briser sa carrière pour avoir engagé une procédure abusive.

— Eh bien, fit Laurie. Je n'ai pas connu votre sœur, mais c'était rude, surtout à l'égard de sa meilleure amie. Et juste avant le mariage.

— Je vous l'ai dit, à l'époque de sa disparition, Amanda n'était pas tendre. Parfois, je me demande si je la connaissais vraiment. »

Laurie se surprit à chuchoter comme si elle se trouvait dans une bibliothèque. « Ce n'est jamais aussi silencieux dans ton cabinet », glissa-t-elle à Alex qui était assis à côté d'elle.

Alex partageait son cabinet avec cinq autres avocats, qui avaient chacun leur secrétaire, et une équipe de huit assistants juridiques et six enquêteurs. « Et je ne fais jamais attendre les gens aussi longtemps. »

Laurie jeta un coup d'œil à la réceptionniste qui mâchait du chewing-gum pour s'assurer qu'elle n'avait pas entendu. « N'oublie pas qu'on est là pour implorer humblement une aide qu'il n'est pas obligé de nous apporter. Il ne faut pas offenser ce monsieur. »

Le monsieur en question était Me Mitchell Lands. Laurie appréciait le silence absolu du cabinet où l'avocat exerçait seul et en profitait pour lire les magazines people qu'elle avait trouvés sur la table basse.

Alex n'était pas aussi patient qu'elle. « Si j'étais un client, je serais parti depuis dix minutes.

familiale, florissante. Ce serait elle qui en prendrait les rênes si jamais son père se retirait. Je détestais l'idée d'un contrat établi en vue d'un divorce avant même d'être mariés, mais Walter a insisté.

— Quelle a été la réaction de Jeff ?

— Comme avocat, il a été très compréhensif. J'ai été soulagée qu'il se plie volontiers à cette demande. Mais, par la suite, nous nous sommes aperçus qu'en plus du contrat, Amanda avait établi un testament un mois avant le mariage. Walter redoutait que Jeff mette la famille sur la paille si le couple ne s'entendait pas, mais Amanda était libre d'organiser sa succession à sa guise. Je crois qu'elle en voulait tellement à son père à cause du contrat de mariage qu'elle a rédigé ce testament dans le but de rassurer Jeff. Elle lui laissait les actifs de son trust.

— Et ils s'élevaient à combien ?

— Deux millions de dollars. »

Laurie écarquilla les yeux. Sandra ne plaisantait pas quand elle disait que la famille avait de l'argent. « Jeff les a-t-il touchés ? Ou faut-il attendre sept ans jusqu'à ce qu'une personne soit présumée décédée ?

— Oui, c'est la loi. Si on retrouve son corps, ce salaud de policier en Floride gagnera son pari de dix dollars, et Jeff aura deux millions de dollars, plus des intérêts considérables. Sinon, il paraît qu'il pourrait tenter de faire déclarer le décès d'Amanda et toucher ainsi l'argent. Si Amanda avait renoncé à se marier, il n'aurait pas touché un cent. Il n'y aurait eu ni règlement de divorce, ni héritage, parce qu'elle aurait changé son testament dès son retour à New York.

— S'il était fiancé à votre fille, vous devez l'avoir bien connu. Jeff vous semblait-il quelqu'un de dangereux ?

— Non. Nous pensions qu'il ferait un mari merveilleux. Il semblait très dévoué à Amanda, extrêmement fidèle. Mais à la réflexion, peut-être aurions-nous dû déceler certains signes. Ses deux meilleurs amis, Nick et Austin, autant que je sache, sont encore de joyeux célibataires, toujours avec des femmes différentes. Qui se ressemble s'assemble, comme on dit.

— Vous croyez que Jeff était infidèle ?

— Ce n'est pas impossible, étant donné ce qui s'est passé avec Meghan. »

Laurie jeta un coup d'œil à son bloc-notes posé sur la table basse. « Meghan est…

— Meghan White, l'autre demoiselle d'honneur. La meilleure amie d'Amanda à Colby. Et elles sont restées très proches après leur installation à New York. Avocate, elle aussi. Spécialiste des lois sur l'immigration. Amanda et Jeff se sont rencontrés à l'université mais ils n'étaient jamais sortis ensemble. C'est grâce à Meghan, en fait, qu'ils se sont revus à New York. Je peux vous assurer qu'elle a dû s'en mordre les doigts.

— Que voulez-vous dire ?

— Eh bien, il s'avère que Meghan avait été la petite amie de Jeff. Et dès la disparition d'Amanda, elle est revenue au galop. Ils ont à peine attendu un an avant de se marier. Meghan White est aujourd'hui Mme Jeff Hunter. Et je crois que l'un des deux ou les deux ont assassiné ma fille. »

Laurie saisit son bloc. « Reprenons tout depuis le début. »

6

Laurie et Sandra étaient encore en pleine conversation deux heures plus tard quand le portable de Laurie émit trois notes de musique. C'était son alerte, la prévenant qu'elle devait retrouver Brett dans dix minutes.

« Sandra, j'ai un rendez-vous avec mon patron. » Brett n'était pas du genre à tolérer qu'on le fasse attendre. « Mais je suis très contente que vous ayez fait ce long voyage pour me parler d'Amanda. »

Comme elle s'apprêtait à quitter le bureau, Sandra posa une dernière question : « Est-ce que je peux encore ajouter quelque chose pour vous convaincre de consacrer l'émission au cas d'Amanda ?

— Je ne suis pas seule à prendre ces décisions, mais je vous promets que je reviendrai bientôt vers vous.

— Je suppose que je ne peux en demander davantage », dit Sandra. Elle alla vers Grace, qui était assise à son bureau. « Merci encore pour votre gentillesse, Grace. J'espère vous revoir toutes les deux.

— Ce sera avec plaisir », dit Grace avec un sourire compatissant.

Lorsque Sandra fut partie, Jerry entra dans le bureau de Laurie. « Pourquoi cette femme me dit quelque chose ? C'est une actrice ? »

Laurie secoua la tête. « Non, je t'expliquerai plus tard.

— En tout cas, elle est restée une éternité, dit Jerry. Grace et moi on s'est demandé si nous devions vous interrompre. La réunion avec Brett a lieu dans à peine quelques minutes et nous n'avons pas eu le temps de passer en revue les sujets que nous voulons proposer. »

Ils avaient prévu de discuter une dernière fois des trois affaires les plus intéressantes avant que Laurie ne les présente à Brett. Elle avait demandé à Jerry de participer à quelques réunions avec leur patron, lui laissant prendre des responsabilités de plus en plus grandes dans la production. Elle se concentrait à présent sur l'aspect reportage de l'émission – les suspects, les témoins, la véracité de leur histoire. Le talent de Jerry était d'imaginer les mises en scène du tournage – chercher les lieux, recréer les images du crime, donner à l'émission un aspect aussi cinématographique que possible.

« Je ne m'attendais pas non plus à passer tant de temps avec elle, mais je crois que j'ai une idée. Suis-moi. »

Ils parcoururent rapidement le couloir qui menait au bureau d'angle de Brett Young.

7

La nouvelle secrétaire de Brett, Dana Licameli, leur fit signe d'entrer directement dans le saint des saints. « Il va vous demander des explications », chuchota-t-elle d'un air entendu.

Laurie regarda sa montre. Ils avaient deux minutes de retard. Oh zut, pensa-t-elle.

Brett pivota dans son fauteuil pour leur faire face au moment où ils entraient. Comme toujours, son visage reflétait une profonde désapprobation. On disait que sa femme avait un jour laissé échapper qu'il se réveillait tous les matins avec l'air renfrogné.

« Désolée d'être un peu en retard, Brett. Mais vous serez content de savoir que je m'entretenais avec quelqu'un qui a un sujet formidable pour notre prochaine émission.

— On est soit en retard, soit à l'heure. Dire que vous êtes un peu en retard est la même chose que dire que vous êtes un peu enceinte. » Se détournant, il fit remarquer : « Vous êtes particulièrement fringant aujourd'hui, Jerry. »

Laurie eut envie de remettre Brett à sa place, en particulier pour sa remarque visiblement ironique à propos de Jerry. Quand Jerry avait débuté comme stagiaire au studio, c'était un étudiant timide, maladroit, tentant de dissimuler sa silhouette dégingandée sous des vêtements trop amples et une fausse nonchalance. Au fil des années, elle l'avait vu simultanément s'affirmer et changer d'apparence. Jusqu'à une date récente, il portait presque toujours des cols roulés et des cardigans, même quand il faisait chaud. Mais depuis que *Suspicion* avait décollé, il s'était lancé dans toutes sortes d'essais vestimentaires. Aujourd'hui, il avait choisi une veste cintrée à carreaux, un nœud papillon et un pantalon moutarde. Laurie lui trouvait l'air superbe.

Jerry ajusta dignement sa veste et s'assit. S'il avait jugé la remarque de Brett sarcastique, il n'en laissa rien paraître.

« J'attends beaucoup de notre réunion, dit Brett. Ma femme ne cesse de me répéter que je n'apporte pas assez – comment dit-elle ? – de *soutien positif* à mes collègues. Donc, Laurie, Jerry, sachez-le – je suis impatient de connaître vos idées. »

Brett n'avait pas montré grand enthousiasme quand Laurie était revenue travailler. Elle avait pris un congé après l'assassinat de Greg. Ses premières émissions avaient été des flops, peut-être parce qu'elle était encore sous l'empire du chagrin et incapable de se concentrer, ou peut-être par simple malchance. De toute façon, la gloire est éphémère dans le monde de la télévision, et Laurie savait que ses jours étaient comptés quand elle avait proposé l'idée de *Suspicion*. Maintenant que l'émission était un véritable succès, elle se rendait compte qu'elle en avait envisagé le concept avant même la mort de Greg.

« Vous savez, Brett, nous ne pouvons garantir de résoudre toutes les affaires. » Jusqu'à présent, ils en avaient dénoué deux sur deux. Dans les deux émissions précédentes, toutes les personnes concernées avaient coopéré avec la production et s'étaient dévoilées quand Alex Buckley, le meneur de jeu, les avait interrogées. Ça ne se passerait pas toujours ainsi.

Brett tapota son bureau du bout des doigts, signe qu'il demandait aux autres de se taire pendant qu'il réfléchissait. Comme Grace le disait avec irrévérence : « Il réfléchit avec ses doigts. » Bel homme de soixante et un ans, avec des traits bien dessinés et une abondante chevelure gris acier, il pouvait se montrer incisif jusqu'à la cruauté tout en étant un brillant et célèbre producteur.

« Bon, en ce qui me concerne, l'important est que les téléspectateurs pensent que vous en *serez* capable et qu'ils veuillent assister au dénouement. Racontez-moi ce que vous avez pour la prochaine fois. »

Laurie réfléchit aux notes qu'elle avait préparées dans sa cuisine la veille au soir pendant que Timmy jouait à un jeu vidéo après le dîner. Trois affaires non élucidées. Le premier choix de Brett porterait sûrement sur l'assassinat du professeur de médecine.

À cause d'un divorce âprement disputé, sa femme et son beau-père étaient les suspects évidents. Lui-même avait eu une liaison récente avec une femme divorcée de fraîche date, si bien que le mari de cette dernière était aussi sur la liste. Enfin un collègue universitaire l'accusait de plagiat dans ses publications scientifiques. Sans parler d'un étudiant furieux d'avoir raté ses examens d'anatomie. Un cas parfait pour leur émission.

Venait en deuxième choix le cas du petit garçon qui avait été assassiné dans l'Oregon, dont la belle-mère était la principale suspecte. Un cas intéressant, mais chaque fois que Laurie songeait à la violence faite à un enfant de neuf ans, elle pensait à son propre fils, et écartait le sujet.

La troisième affaire était le meurtre de deux sœurs survenu trente ans auparavant. L'histoire avait passionné Laurie mais elle craignait que Brett ne juge qu'un délai de trente ans était trop long pour retenir l'attention des téléspectateurs.

Toutes ces notes étaient consignées dans un cahier dans sa serviette.

« Je vous ai dit que j'avais quelques idées, mais l'une d'elles se détache clairement du lot. » Pour elle-même et pour Sandra, elle espérait que Brett donnerait son accord.

8

Walter Pierce se tenait dans son bureau donnant sur l'un des ateliers de l'usine de Ladyform à Raleigh, en Caroline du Nord. Un autre dirigeant aurait sans doute opté pour une pièce plus luxueuse à un étage élevé d'un gratte-ciel, loin des ouvriers chargés de la fabrication. Mais Walter Pierce s'enorgueillissait de diriger Ladyform comme une entreprise familiale traditionnelle, où tout était conçu et fabriqué aux États-Unis. C'était un homme de forte carrure, grand et corpulent, au crâne dégarni, au menton empâté.

À l'époque où son arrière-grand-père avait fondé la société, les femmes étaient en train d'abandonner les corsets pour les soutiens-gorge, un changement qu'amplifia la pénurie de métaux pendant la Première Guerre mondiale. Comme il le disait fièrement : « Ce changement a semble-t-il permis d'économiser vingt-cinq millions de tonnes de métal, assez pour construire plusieurs cuirassés. »

Au début, Ladyform avait une seule usine en Caroline du Nord qui employait trente ouvriers. Aujourd'hui

l'entreprise avait non seulement conservé l'usine ori-
ginelle au même endroit, mais s'était aussi implan-
tée à Detroit, San Antonio, Milwaukee, Chicago et
Sacramento, sans parler des bureaux de New York.

Contemplant l'activité qui régnait en dessous de
lui, il se souvint que c'était Amanda qui avait tenu
à la présence de Ladyform à New York. Elle était
encore à l'université, mais c'était une étudiante bril-
lante et dotée d'un sens réel des affaires. « Papa,
il faut que la marque s'ouvre à l'avenir, lui avait-
elle dit. Les femmes de ma génération considèrent
Ladyform comme des gaines vieux jeu portées par
leurs mères et leurs grands-mères. Il faut qu'elles
aient de nous l'image d'une entreprise qui les aide
à paraître à leur avantage et à se sentir mieux dans
leur corps. » Elle avait une quantité d'idées sur le
repositionnement de la marque – créer des produits
qui soient à la fois plaisants et confortables, moder-
niser le logo, développer une ligne de vêtements de
sport afin que la marque soit, selon elle, le symbole
du corps féminin, et non plus une simple fabrique de
sous-vêtements.

Walter savait que, sans Sandra, il aurait rejeté les
conseils d'Amanda. En rentrant chez lui un soir, il
l'avait trouvée en train de l'attendre dans la cuisine.
Son expression sévère annonçait que le moment était
venu d'avoir une « conversation ». Elle lui avait
demandé de s'asseoir en face d'elle et d'écouter ce
qu'elle avait à dire.

« Walter, tu es un mari merveilleux et, à ta manière, un père aimant, avait-elle dit rapidement. Et je n'ai pas l'intention de te changer, ni de te dicter ta conduite. Mais tu as poussé et poussé sans cesse tes enfants à partager ta passion pour l'entreprise familiale.

— J'ai aussi insisté pour que tous soient libres de faire ce qu'ils avaient envie de faire », avait-il répliqué avec véhémence.

Mais tout en prononçant ces mots, Walter avait ressenti un pincement au cœur à la pensée que Ladyform pourrait continuer sans un Pierce à la barre.

Sandra avait poursuivi : « En effet, mais puis-je te rappeler que tu lui as tellement cassé les pieds que notre fils ne veut plus entendre parler de la société et qu'il est parti s'installer à Seattle, à l'autre bout du pays, pour pouvoir vivre sa vie sans rien devoir à personne. De leur côté, Amanda et Charlotte ont fait tout ce que tu demandais. Elles l'ont fait parce qu'elles t'aiment et quêtent sans cesse ton approbation. Mais soyons réalistes, c'est Amanda qui s'est véritablement impliquée à fond dans l'entreprise. Ses idées sont brillantes, Walter, et si tu les ignores, tu la détruiras. Je te préviens, je ne le supporterai pas. »

Ainsi, sans avoir jamais parlé à Amanda de l'intervention de sa mère, il avait accepté ce qu'elle préconisait, se rappela Walter, ouvrir et diriger un bureau à New York chargé du stylisme, du marketing et des ventes. Amanda et Charlotte y travaillaient, et lui-même était resté à l'usine principale de Raleigh.

Grâce à Amanda, Ladyform était devenue de plus en plus rentable, régulièrement vantée dans la presse comme une entreprise américaine vieux jeu qui avait su se reconvertir pour faire face aux défis du vingt et unième siècle. « Amanda, murmura Walter en lui-même, sais-tu que tu as sauvé la société du désastre ? »

Ses pensées furent interrompues par la sonnerie de son portable. Il le sortit de sa poche et reconnut le numéro de Sandra. Ce n'était pas la première fois qu'elle l'appelait alors qu'il pensait à elle. Il y avait presque deux ans qu'elle s'était installée à Seattle et pourtant il avait l'impression qu'ils étaient toujours restés en contact.

« Bonjour, Sandra. J'étais justement en train de penser à toi.

— Rien de désagréable, j'espère. »

Leur divorce s'était conclu sans trop de disputes. Mais, en dépit de leur promesse de rester conciliants, les négociations entre avocats pour mettre fin à un mariage qui avait duré près d'un tiers de siècle avaient engendré quelques tensions.

« Jamais, dit-il d'un ton ferme. J'étais en train de reconnaître ton mérite dans le succès de Ladyform. Sans toi nous n'aurions jamais ouvert de bureau à New York.

— Eh bien, c'est une coïncidence parce que je suis à New York en ce moment. Je vais déjeuner avec Charlotte tout à l'heure.

— Tu es à New York ? demanda Walter. Uniquement pour voir Charlotte ? »

La question provoqua en lui un soudain sentiment de culpabilité. Il avait pris une décision très difficile en choisissant Amanda plutôt que Charlotte pour lui succéder à la tête de l'entreprise. Bien sûr, Charlotte, qui était l'aînée, avait été blessée et amère, et avoir pris la place d'Amanda après sa disparition ne suffisait toujours pas à effacer son ressentiment.

En novembre, Sandra avait invité Walter à Seattle à partager le dîner de Thanksgiving avec Charlotte ainsi qu'Henry et sa famille. Il savait qu'il n'était pas réaliste de sa part d'espérer revoir Sandra régulièrement. Cette visite l'avait laissé pensif et triste.

« Non, pas uniquement pour la voir, disait Sandra. Je crains d'avoir fait quelque chose qui pourrait te contrarier. As-tu entendu parler de cette émission de télévision qui s'appelle *Suspicion* ? »

De quoi peut-il bien s'agir ? se demanda Walter, puis il écouta Sandra s'étendre longuement sur la réunion qu'elle venait d'avoir avec la productrice de cette émission au sujet de la disparition d'Amanda.

« Je me suis dit que les chances de réussite étaient faibles, mais je pense qu'elle m'a vraiment écoutée. » La voix de Sandra trahissait son excitation. « Je t'en prie, Walter, ne sois pas fâché. Elle m'a dit qu'une affaire n'est retenue que si tous les membres de la famille donnent leur accord. Tu veux bien y réfléchir ? »

Il tressaillit. Pensait-elle vraiment qu'il ne ferait pas tout ce qui était en son pouvoir si cela pouvait résoudre l'énigme de la disparition d'Amanda ? « Sandra, je ne suis pas fâché. Et bien sûr, je coopérerai de mon mieux.

— Vraiment ? Walter, c'est merveilleux. Merci. Merci mille fois. »

Il y avait un sourire dans sa voix.

À Manhattan, à un peu plus de huit cents kilomètres au nord, à l'hôtel Pierre, Sandra éteignit son portable et le rangea dans son sac. Sa main tremblait. Elle s'était attendue à avoir une nouvelle discussion avec Walter, semblable à celles qui avaient causé la ruine de leur mariage. « *Combien de temps vas-tu t'obstiner avec ces histoires, Sandra ? Quand vas-tu regarder la réalité en face ? Nous avons encore nos deux vies à mener et deux autres enfants. Nous devons à Henry et Charlotte et à nos petits-enfants de continuer à vivre. C'est devenu une obsession !* »

Mais les disputes avaient cessé du jour où Walter était rentré du bureau et l'avait trouvée dans leur chambre, s'efforçant de boucler une valise bourrée à craquer. Il l'avait descendue en râlant jusqu'à la voiture qui attendait. Au moment où elle montait, elle avait dit : « Je ne te supporte plus. Au revoir. »

Sandra était soulagée que la conversation n'ait pas conduit à une autre confrontation. Pourtant, tandis qu'elle longeait la Sixième Avenue, quelque chose la tracassait.

Walter avait rapidement accepté de participer à *Suspicion* si jamais Laurie Moran choisissait comme sujet la disparition d'Amanda. Mais elle savait que revivre minute par minute ces événements quand l'enquête commencerait lui briserait le cœur.

« Je suis désolée, Walter, dit-elle tout haut. Mais s'il y a une chance que l'on se penche de nouveau sur la disparition d'Amanda, je n'hésiterai pas, quoi qu'il advienne. »

9

Dans le bureau de Brett Young aux Studios Fisher Blake, Laurie déployait des trésors d'argumentation pour que la Mariée Envolée soit le sujet de leur prochaine émission.

Elle commença par déposer sur le bureau de Brett le badge que Sandra lui avait donné. En temps normal, elle aurait apporté des photos grand format sur papier glacé, mais aujourd'hui elle improvisait. « Vous la reconnaîtrez peut-être sur la photo. Elle s'appelle Amanda Pierce. Cinq ans après sa disparition, sa mère, Sandra, porte toujours ce badge. »

Haussant les sourcils, Brett inspecta le badge de plus près, mais il ne dit rien.

« Amanda Pierce et Jeff Hunter, tous les deux new-yorkais, avaient organisé une luxueuse cérémonie de mariage. Elle devait se dérouler le samedi après-midi, et être suivie d'une magnifique réception. Le mariage lui-même aurait été relativement intime – une soixantaine d'amis proches et la famille. Mais il n'a jamais eu lieu, poursuivit-elle. Le vendredi matin, la future mariée ne s'est pas montrée au brunch. Son fiancé et sa demoiselle d'honneur ont frappé à la porte de sa chambre. N'obtenant pas de réponse, ils ont demandé à un agent de sécurité de les faire entrer. Le lit n'avait pas été défait. Sa robe de mariée était étalée dessus. La veille, tous les proches des mariés avaient dîné ensemble. C'était la dernière fois qu'on avait vu Amanda. »

À présent, Laurie s'en rendait compte, Brett était captivé par son récit. Elle continua : « Ils ont commencé à s'inquiéter. Ils ont exploré la salle de sport de l'hôtel, la plage, le restaurant, le hall d'entrée – partout où ils pensaient pouvoir la trouver. Jeff est allé à la réception vérifier que le personnel n'était pas déjà passé faire la chambre. Et, au moment où l'employé répondait par la négative, les parents d'Amanda sont arrivés dans le hall. C'est Jeff qui dut leur apprendre que leur fille avait disparu. Personne n'a plus jamais entendu parler d'elle depuis. » Brett fit claquer ses doigts. « Ah, c'est pour ça que son visage me disait quelque chose. C'est l'histoire de cette mariée qui s'est volatilisée, n'est-ce pas ? Elle n'a pas réapparu à Las Vegas avec un autre type ? »

Laurie se souvint vaguement d'un cas similaire quelques années plus tôt, mais lui assura qu'il ne s'agissait pas d'Amanda Pierce. « Amanda a disparu sans laisser de traces. Les gens ne s'enfuient pas sans qu'on entende parler d'eux pendant plus de cinq ans.

— Sans laisser de traces ? Pas de cadavre ? Pas le moindre indice récent ? Cela ne semble pas très prometteur.

— Une affaire qui n'a jamais été résolue. Un dossier classé. C'est en plein notre sujet, Brett.

— Mais cette affaire-là est enterrée. Dix pieds sous terre. Laissez-moi deviner : la personne à qui vous parliez avant la réunion était la mère qui distribue ces badges ? Je l'ai croisée dans l'ascenseur. » Il prit son silence pour une réponse. « Vous avez une prédilection pour les histoires tristes, Laurie. Je ne peux pas donner le feu vert à une émission juste pour que vous offriez une tribune à une famille en pleurs. Il nous faut des indices. Il nous faut des suspects. Je suis convaincu que vous souhaitez aider cette mère, mais si je me souviens bien, les parents n'étaient même pas présents quand leur fille a disparu, non ? Et qui sont les personnes qui ont vécu depuis dans l'ombre du soupçon ? »

Laurie expliqua qu'Amanda avait décidé de faire de Jeff le bénéficiaire de son trust fund bien qu'ils n'aient pas encore été mariés.

Jerry mit son grain de sel : « Si vous vous baladez sur le Net, vous verrez que des milliers de personnes se sont passionnées pour cette affaire. Elles pensent presque toutes que le coupable est le futur marié et que c'est une affaire d'argent. Et les détails du testament n'ont même pas été rendus publics. Peu après la disparition d'Amanda, Jeff a eu le culot de sortir avec la meilleure amie de son ex-fiancée. Ils sont mariés à présent et je parie qu'il ne faudra pas attendre longtemps avant qu'ils dépensent le magot.

— Bien sûr, nous ne sommes pas de parti pris, ajouta Laurie d'un ton ironique.

— Bien entendu », dit Jerry.

L'allusion à l'argent donna à Laurie une autre idée. « Le lieu de tournage serait idéal, Brett. Le Grand Victoria Hotel à Palm Beach. C'était censé être un mariage de rêve. Tous les frais de transport, de logement, les distractions, tout était payé par la riche famille de la mariée. »

Elle vit avec satisfaction Brett griffonner enfin quelques notes. Elle lut vaguement les mots « station balnéaire » suivi du symbole dollar. Comme prévu, Brett se réjouissait à l'idée d'un lieu de tournage luxueux et de participants financièrement à l'aise. Elle se demandait parfois s'il n'aurait pas préféré qu'elle ait créé *Riches et célèbres : version policière.*

« Mais on n'a jamais retrouvé son corps, fit observer Brett. À ce jour, et c'est dans le domaine du possible, Amanda mène peut-être joyeusement une nouvelle vie sous un nom d'emprunt. J'aurais cru, Laurie, que votre éthique de journaliste vous ferait hésiter à violer l'intimité de cette femme. »

Laurie ne se souvenait plus du nombre de fois où ses principes s'étaient trouvés en conflit avec la course à l'audimat chère à Brett. Maintenant qu'elle défendait un sujet parfait pour la télévision, il prenait un malin plaisir à la contrer.

« À dire vrai, je me suis posé la question. Même si Amanda est partie de son plein gré, il y a plusieurs victimes. Elle a abandonné sa famille éplorée et laissé derrière elle au moins une personne innocente qui souffre des soupçons qui pèsent sur elle. Découvrir la vérité me satisfera pleinement, quelles que soient les conséquences.

— Bon, pour une fois, il semble que nous considérions les choses du même œil. C'est un bon suspense, et cette histoire de disparition de la mariée est parfaite pour la télévision – une jeune femme ravissante qui se volatilise d'un hôtel cinq étoiles au cours du week-end le plus important de sa vie. Je crois que j'ai eu une excellente influence sur vous.

— Je n'en doute pas », dit Laurie d'un ton sec.

Elle faisait déjà mentalement la liste des autres avantages de ce sujet. Naturellement Grace et Jerry seraient enthousiasmés par les lieux. Son père, Leo, et son fils, Timmy, pourraient venir y passer les week-ends pendant le tournage et, si le planning le permettait, elle pourrait s'arranger pour qu'il ait lieu avant que Timmy retourne à l'école en automne. Elle songeait aux futures séances de brainstorming avec Alex sur la plage quand Brett posa une autre question : « Qui est partant ? »

La plus grande difficulté de l'émission était de convaincre les amis et la famille de la victime de participer. « Jusqu'à présent seulement sa mère, sans doute le frère et la sœur et une des demoiselles d'honneur », dit Laurie. Elle ajouta rapidement : « Je n'ai voulu solliciter personne d'autre avant d'obtenir votre accord. » C'était plus diplomate que « *Ce sujet m'est tombé dessus tout cuit ce matin* ».

« En avant toute, alors. Vive la mariée, comme elle, le taux d'audience va s'envoler ! »

10

Charlotte Pierce choisit le saumon avec une salade verte. « Et encore un peu de thé glacé, je vous prie », dit-elle au serveur avec un sourire aimable en lui rendant le menu. Elle aurait certes préféré un bloody mary et un steak-frites, mais elle déjeunait avec sa mère, ce qui l'obligeait à se montrer sous son meilleur jour dans tous les domaines.

Charlotte n'était que trop consciente de ses huit kilos superflus. Au contraire de son frère et de sa sœur, elle n'était pas mince de nature, et devait « faire un peu plus d'efforts », comme disait sa mère, pour conserver un « poids équilibré ». Ironiquement, sa prise de poids était le résultat des longues journées qu'elle consacrait à son travail chez Ladyform, et aux plats préparés qu'elle avalait sur le pouce pour tenir le coup.

« Vraiment, ce restaurant est charmant », dit sa mère, une fois que le serveur se fut éloigné. Charlotte l'avait choisi en sachant que cette dernière apprécierait l'élégante et vaste salle, fleurie de bouquets de fleurs fraîches. Elle avait aussi pris soin de ramasser les vagues désordonnées de ses cheveux châtains en un chignon sur la nuque. Sa mère ne manquait jamais de lui conseiller d'opter pour une coiffure plus conventionnelle. Charlotte avait le sentiment qu'elle souhaitait la voir ressembler davantage à Amanda. « Comment ça se passe au bureau ? »

Tandis que Charlotte détaillait le plan marketing de la nouvelle ligne de sous-vêtements pour le yoga, y compris un défilé de mode au New York One, sa mère semblait n'écouter que d'une oreille. « Excuse-moi, maman. Je suis trop longue. Mon Dieu, pourvu que je ne devienne pas comme papa.

— Ne dis pas ça ! s'exclama Sandra en souriant. Tu te souviens du jour où tous les trois vous aviez mis le minuteur en marche pour calculer pendant combien de temps il pouvait jacasser à propos du nouveau soutien-gorge transformable ?

— C'est vrai. J'avais presque oublié. »

Quelques-uns des plus grands fous rires des enfants Pierce avaient été provoqués par leur père. Le grand et viril Walter Pierce n'hésitait pas à parler de soutiens-gorge, de gaines et de sous-vêtements durant un dîner devant leurs amis, ou dans la queue à la caisse du supermarché. Pour lui c'était du travail, et il adorait son travail. L'épisode auquel Sandra faisait allusion avait eu lieu à Thanksgiving, et le soutien-gorge en question était le Ladyform « 3 en un », un modèle qui pouvait être à bretelles, sans bretelles ou dos nu. Ladyform avait été le premier à l'introduire sur le marché.

Quand il était devenu manifeste que Walter allait se lancer dans une autre de ses « présentations », c'était Henry qui était allé chercher le minuteur à la cuisine. Charlotte, Amanda et lui l'avaient fait circuler en douce autour de la table tandis que leur père décrivait toutes les configurations du soutien-gorge, allant jusqu'à utiliser sa serviette à l'appui de sa démonstration. Quand il avait fini par s'apercevoir de ce qui se tramait, les visages des enfants étaient rouge brique à force de réfréner leur rire, et le minuteur indiquait huit minutes.

« Vous faisiez toujours tourner votre père en bourrique, dit Sandra, plongée dans ses souvenirs.

— Oh, il adorait ça. Il adore toujours », ajouta Charlotte, se souvenant soudain que son père et sa mère se parlaient rarement désormais. « Donc, maman, tu as appelé hier et annoncé que tu venais à New York. Je suis ravie de te voir, mais je ne pense pas que tu aies traversé le pays juste pour déjeuner avec moi.

— Il s'agit d'Amanda.

— Naturellement. »

Tout ce que ses parents disaient, faisaient ou pensaient concernait toujours Amanda. Charlotte sentit que sa réaction était injuste, mais il est vrai que ses parents avaient toujours préféré sa sœur, même avant sa disparition. Dans la vie, Charlotte se sentait moins capable, moins séduisante et moins reconnue que sa sœur cadette.

Les choses avaient empiré lorsque Amanda avait fini ses études et était entrée chez Ladyform, songea amèrement Charlotte. Elle-même avait travaillé pendant quatre ans dans la société avant l'arrivée de sa sœur, mais c'était Amanda qui avait eu l'idée d'associer de célèbres athlètes féminines à des créateurs de mode et de développer une ligne de soutiens-gorge haut de gamme pour le sport. Ensuite, Walter avait traité Amanda comme si elle était Einstein réincarné. L'idée d'Amanda était géniale, admit Charlotte à regret. Le fait que j'aie su prendre sa succession depuis cinq ans ne semble pas avoir été remarqué par l'un ou l'autre de mes parents bien-aimés.

Elle fit signe au serveur. « Une vodka Martini, s'il vous plaît. » Puis elle regarda sa mère. « Très bien, maman. Dis-moi tout. »

11

Dès qu'ils eurent quitté le bureau de Brett, Laurie passa gentiment son bras autour des épaules de Jerry. « Tu as été sensationnel tout à l'heure. Je n'arrive pas à croire que tu en savais autant sur cette affaire !

— J'étais à l'université quand Amanda Pierce a disparu. Dans notre résidence d'étudiants on ne parlait que de ça. Je crois bien avoir manqué deux jours de cours, planté devant CNN. J'ai compris alors que ce qui devait n'être qu'un bref stage ici était ma véritable vocation. »

Harvey, le garçon du service du courrier, les croisa, poussant d'une main un Caddie plein d'enveloppes, tenant de l'autre un croissant entamé. « Vous êtes officiellement ma personne favorite aujourd'hui au bureau, Laurie.

— Ravie de l'apprendre, Harvey. »

Lorsque Harvey ne fut plus à portée de voix, Jerry dit : « Sa femme ne serait peut-être pas aussi ravie. Aux dernières nouvelles, elle l'a mis à un régime sans gluten. Je suis content qu'il triche un peu. Le courrier a été une pagaille épouvantable toute la semaine. »

Laurie sourit. Jerry semblait toujours au courant de la vie des autres. « Alors comment se fait-il que tu n'aies jamais proposé la Mariée Envolée comme sujet d'émission si tu étais tellement au courant de l'affaire ?

— Je ne sais pas. Je n'étais pas sûr que tu serais d'accord.

— À cause de Greg ? Jerry, lorsqu'on a découvert le meurtrier de Greg, j'ai éprouvé un sentiment de paix. Certainement pas la fin du deuil, mais un sentiment de paix. Alors, si notre émission apporte ce sentiment à d'autres personnes, j'en serai heureuse. »

C'était vrai. Avoir des réponses aux questions qu'elle se posait sur la mort de Greg avait eu quelque chose de réconfortant. Un retour à l'ordre. Certes, à l'origine elle avait créé *Suspicion* dans le but de lancer une émission à succès, mais aujourd'hui, elle la considérait comme une manière d'aider d'autres familles.

« Pour être franc, j'avais l'intention d'attendre d'être assistant à la production pour proposer le cas d'Amanda. Mais nous étions alors à Los Angeles sur le tournage de l'Affaire Cendrillon, nous logions dans cette maison gigantesque, et tu as dit quelque chose à propos de la piscine qui était presque aussi grande que celle du Grand Victoria. Tu avais l'air triste, et je me suis dit… » Il n'acheva pas sa phrase.

« Tu avais deviné juste, Jerry. J'y suis allée avec Greg, mais ça ira. »

Laurie, Jerry et Grace étaient réunis dans le bureau de Laurie, occupés à établir la liste de toutes les personnes qu'il leur fallait contacter avant de pouvoir démarrer officiellement la production de l'affaire Amanda. Grace n'ayant jamais entendu parler d'Amanda ni de la Mariée Envolée, il fallut quelques minutes à Laurie pour expliquer l'histoire et son rapport avec leur visiteuse inattendue de ce matin.

« Bon, je comprends mieux à présent, dit Grace. Sandra a appelé pendant que tu étais en réunion. Elle m'a dit de te prévenir que son mari, Walter, était partant.

— Génial », dit Laurie, cochant le père d'Amanda sur sa liste. « Sandra m'a communiqué une liste de tous les invités du mariage qui se trouvaient à l'hôtel quand la disparition d'Amanda a été annoncée. Le marié, Jeffrey Hunter, est toujours avocat commis d'office à Brooklyn. Il est aujourd'hui marié à Meghan White, la meilleure amie d'Amanda, qui était aussi demoiselle d'honneur. »

Grace laissa échapper un « oooh » réprobateur, cette nouvelle lui paraissait scandaleuse. Elle se croyait volontiers capable de repérer un coupable sur-le-champ grâce à son instinct.

« Il faut se méfier des conclusions hâtives ; nous sommes des journalistes, ne l'oublie pas. » Laurie eut un petit rire. « Du côté de Jeff, il y avait deux de ses amis de fac – Nick Young et Austin Pratt. D'après Sandra, tous deux sont dans la finance, récemment installés à New York, donc faciles à retrouver, avec un peu de chance. Le troisième garçon d'honneur était le frère plus âgé d'Amanda, Henry. Il a la réputation d'être l'original de la famille. »

Jerry griffonnait à toute vitesse. « Et les invités du côté d'Amanda ?

— Il y a la demoiselle d'honneur Meghan White…

— Celle qui a piqué le mari, dit Grace.

— Qui est *aujourd'hui la femme* de l'ex-fiancé, oui. La sœur d'Amanda, Charlotte, l'aînée de la famille, faisait aussi partie du cortège. Elle est à présent l'héritière en titre de l'entreprise familiale, qui est Ladyform, pour votre information.

— J'adore ces trucs », murmura Grace, comme s'il s'agissait d'un secret. « Tu les enfiles, et tu as l'impression d'avoir deux tailles de moins. »

Laurie comprit alors comment cette vamp de Grace arrivait à entrer dans les robes moulantes qu'elle affectionnait. « Et j'ai eu la très nette impression que c'était Amanda qui s'était le plus rapidement imposée dans la société avant de disparaître. Peut-être devrions-nous chercher s'il existait une sorte de rivalité entre les deux sœurs. Enfin, il y a Kate Fulton. Sandra ne m'a pas dit grand-chose à son sujet, sauf qu'elle lui a déjà parlé, et que Kate semblait d'accord pour participer à l'émission. À l'exception du frère et de la sœur d'Amanda, les autres invités des mariés ont tous fait leurs études à Colby dans le Maine. Sandra Pierce m'a affirmé qu'ils seraient prêts à coopérer.

— Je peux vérifier s'ils sont connectés sur Facebook et LinkedIn », dit Jerry. Il savait parfaitement utiliser les réseaux sociaux pour y trouver de l'information. « Je chercherai aussi les coordonnées de chacun. Mais nous n'avons que les invités pour l'instant. Il nous faudra aussi joindre le Grand Victoria. Une partie de l'intérêt de cette affaire pour les téléspectateurs est liée à l'endroit où elle s'est déroulée.

— C'est ce qui m'inquiète, dit Laurie. La direction craint peut-être que toute cette publicité autour de la disparition d'Amanda leur fasse du tort.

— Sauf que rien n'indique la moindre négligence de leur part. En ce qui les concerne, cette affaire prouve seulement que des gens de goût fortunés choisissent le Grand Victoria pour une cérémonie aussi importante qu'un mariage. En outre, il y aura toutes les superbes photos que nous inclurons dans le film.

— Très bien présenté, Jerry. Le moment venu, je crois que je te laisserai mener la discussion au téléphone. Sandra a parlé d'un photographe de mariage. Malheureusement elle n'a pu se rappeler son nom, mais l'hôtel s'en souviendra peut-être.

— Et le marié aussi, sans doute, s'il veut bien coopérer.

— S'il veut bien coopérer ? s'exclama Laurie. Ne parle pas de malheur. C'est le suspect numéro un de Sandra. Il faut l'avoir avec nous. »

13

Dans le hall de l'hôtel, Sandra serra une dernière fois sa fille dans ses bras. « Je suis si fière de toi, ma chérie, dit-elle.

— Maman, nous allons nous revoir au dîner dans quelques heures. Au Marea, à huit heures. Tu connais l'adresse, n'est-ce pas ?

— Tu me l'as indiquée : prendre Central Park South tout droit presque jusqu'à Columbus Circle. En principe, je ne devrais pas me perdre. C'est une joie de te voir deux fois le même jour. »

Sandra savourait le temps qu'elle pouvait passer avec Charlotte. Quand elle vivait à Raleigh, elle la voyait autant qu'Henry, deux à quatre fois par an, jamais assez à ses yeux. Lorsqu'elle s'était installée à Seattle, elle s'était fait une règle de rendre visite à Charlotte au moins aussi souvent, mais voir Henry régulièrement rendait plus douloureuse l'absence de sa fille.

Elle était heureuse d'avoir passé tout l'après-midi avec elle. Après un long déjeuner à La Grenouille, elles avaient remonté la Cinquième Avenue en faisant du lèche-vitrines, puis continué jusqu'au siège de Ladyform près de Carnegie Hall. Là, Charlotte lui avait montré fièrement un aperçu des dernières créations.

En regagnant à pied l'hôtel Pierre, Sandra se souvint de l'expression de Charlotte quand elle avait prononcé le nom d'Amanda. À la réflexion, se dit-elle, j'aurais dû lui annoncer hier au téléphone que j'avais l'intention de me rendre au studio de *Suspicion*. Ainsi, nous aurions passé une journée sans une ombre au tableau.

Elle aurait dû savoir que la simple mention d'Amanda pouvait assombrir sa visite. Charlotte se comparait toujours à sa plus jeune sœur. Même cinq ans après la disparition d'Amanda, elle avait l'impression d'être en concurrence avec son souvenir.

Lorsque je lui ai raconté ma rencontre avec Laurie Moran ce matin, elle a paru tout excitée, se rappela Sandra. Et elle a tout de suite indiqué qu'elle était prête à participer à l'émission si elle avait lieu. « Il n'y a pas un seul jour où elle ne me manque pas », avait dit Charlotte. Mais il y avait eu ce moment où son visage s'était décomposé en entendant le nom de sa sœur, puis elle avait demandé précipitamment une vodka Martini.

Charlotte est quelqu'un de bien, une chic fille, mais pourquoi est-elle aussi peu sûre d'elle, voire jalouse ? soupira Sandra. L'envie pourrait faire surgir ce qu'il y a de pire en elle. En cinquième, elle avait été exclue temporairement de l'école pour avoir trafiqué l'inscription d'un autre élève dans un concours de science.

Mais aussi jalouse qu'elle ait pu être d'Amanda, Charlotte n'aurait jamais fait de mal à sa petite sœur. À moins que… Horrifiée que cette pensée ait pu lui traverser l'esprit, Sandra sentit sa gorge se serrer.

14

Quand la rame de la ligne 6 s'arrêta en bringue-balant à la station de la 96e Rue, Laurie était en train de se remémorer la conversation qu'elle venait d'avoir avec Jerry. Il en savait plus sur la disparition d'Amanda grâce à des émissions d'actualité vieilles de cinq ans qu'elle n'en avait appris en deux heures de conversation avec la propre mère d'Amanda. C'est dire à quel point il connaissait le sujet. Et pourtant, il s'était abstenu de le proposer à cause d'une remarque qu'elle avait faite des mois auparavant à Los Angeles. Tu avais l'air triste, avait-il dit. Je me suis dit...

Jerry n'avait pas terminé sa phrase. Il n'en avait pas besoin, parce qu'il avait vu juste. Laurie n'avait fait qu'un seul séjour au Grand Victoria, et c'était avec Greg. Pour leur deuxième anniversaire de mariage. L'hiver avait été particulièrement rude à New York. Mais l'humeur de Laurie était cependant moins affectée par le froid que parce qu'un autre mois s'était écoulé sans qu'elle tombe enceinte. Son médecin lui avait dit que ces choses n'arrivaient pas toujours immédiatement, mais Greg et elle avaient tellement désiré fonder une famille une fois mariés.

Conscient de son anxiété, Greg lui avait fait une surprise un jeudi soir. Il lui avait annoncé qu'il s'était libéré pendant le week-end de ses obligations au service des urgences de l'hôpital Mount Sinaï. Ils avaient passé quatre jours merveilleux, nageant et lisant sur la plage durant la journée, dînant sans que rien ne les presse le soir. Timmy était né neuf mois plus tard.

Quand Greg est mort, je me suis sentie si seule, pensa Laurie. Nous nous étions toujours imaginés avec quatre ou cinq enfants. Elle adorait Timmy – il la comblait à lui tout seul – mais elle n'avait jamais pensé qu'il serait enfant unique.

Aujourd'hui, presque six ans après la mort de Greg, elle se rendait compte que Timmy et elle n'avaient jamais été réellement seuls. Son père, Leo, avait pris sa retraite de la police de New York pour l'aider à élever son fils.

Et j'ai plus que ma famille, pensa Laurie. Grace pouvait lire dans ses pensées d'un simple regard. Jerry avait compris qu'elle aurait du mal à se plonger dans l'histoire d'un mariage célébré dans un lieu où elle avait été heureuse avec Greg. Jerry et Grace étaient ses collaborateurs, mais ils faisaient aussi partie de sa famille.

Et il y avait Alex. Je ne veux pas m'engager tout de suite, se dit-elle.

Elle parcourut rapidement les quelques blocs qui la séparaient de son appartement. Au moment où elle introduisait sa clé dans la porte d'entrée, elle sentit s'évanouir le stress d'une journée chargée. Elle était chez elle.

15

Elle fut accueillie par une odeur de poulet rôti dans la cuisine et les bruits familiers d'un jeu vidéo dans le salon. Pow ! Hah ! Timmy jouait à Super Smash Bros. sur sa console, tandis que Leo lisait les pages des sports sur le canapé. Laurie avait essayé de tenir Timmy à l'écart de ce genre d'activité aussi longtemps que possible, mais elle avait été forcée de céder.

« Mario n'a aucune chance », dit Laurie, reconnaissant le personnage combattant le moi virtuel de son fils.

Timmy décocha un coup de pied mortel et poussa un *Ouiii !* victorieux. Il se leva précipitamment pour l'embrasser.

« La voilà enfin, dit Leo en se levant. Comment s'est passée la réunion avec Brett ? »

Laurie sourit, appréciant que son père se souvienne que c'était aujourd'hui qu'avait lieu la présentation. « Mieux que je ne m'y attendais.

— Quelle a été sa réaction devant les affaires entre lesquelles tu hésitais ?

— Oublie-les. Il s'est passé quelque chose de formidable aujourd'hui. »

Elle lui fit un résumé de la visite-surprise de Sandra. « Tu te souviens de cette histoire ?

— Vaguement. J'étais encore en activité à cette époque, et il y avait assez de crimes à New York pour m'occuper. »

Laurie entendit la petite musique qui annonçait la fin du jeu, et Timmy reposa sa manette de contrôle. Visiblement, il les avait écoutés. « Alors ça veut dire que tu vas encore t'en aller ? » demanda-t-il avec une nuance d'anxiété dans la voix.

Laurie savait que son emploi du temps était souvent une source d'inquiétude pour Timmy. Quand ils avaient filmé la dernière émission, elle avait décidé de lui faire manquer l'école pendant deux semaines. Son grand-père s'était occupé de lui durant le tournage en Californie. Elle ne pouvait pas refaire le coup à chaque fois.

« Tu vas être content cette fois-ci. Au lieu d'aller au bout du monde, ça se passera en Floride, et c'est seulement à deux ou trois heures d'avion. Si le projet est approuvé, j'espère même le programmer quand tu seras en vacances.

— Il y a un parc aquatique ? »

Laurie remercia mentalement Grace qui avait déjà recherché ce genre d'information essentielle. « Oui. Ils ont un toboggan de douze mètres de haut dans une des piscines.

— Formidable. Et Alex sera là ? demanda Timmy. Je parie qu'il essaiera le toboggan avec moi. »

Parfois, Laurie était inquiète en voyant Timmy aussi excité à l'idée qu'Alex faisait partie de leur vie. Elle avait pris soin de ne pas précipiter leur relation, pourtant le matin même, comme Timmy, elle n'avait pu s'empêcher de s'imaginer sur la plage avec Alex.

« Oui, dit-elle. Alex joue un rôle important dans l'émission. Nous nous sommes mis d'accord. Il est prêt à venir. Et Grace et Jerry seront là aussi.

— Grace devra affréter un avion privé pour toutes ses chaussures, dit Leo.

— Ça ne m'étonnerait pas. »

Deux heures plus tard, au moment où elle débarrassait la table, un message de Jerry lui parvint. Il était encore au bureau et avait les coordonnées de tous ceux qu'ils désiraient contacter pour l'émission. *J'ai hâte de commencer !* disait-il.

Son obsession du détail héritée de l'adolescence se révélait déjà utile. Pensant aux différentes personnes dont elle avait besoin pour le tournage, Laurie décida que le marié et sa nouvelle femme étaient absolument essentiels. Peu importe ce qu'avait promis Sandra : ils étaient tous les deux avocats, ce qui pourrait les faire hésiter.

Heureusement, Laurie connaissait un excellent avocat qui pouvait se montrer très persuasif. Elle envoya un court texto à Alex : *Aurais-tu un peu de temps lundi soir ? Ça prendra une ou deux heures. C'est à propos de l'émission. Et, s'il te plaît, viens avec ta voiture. J'espère avoir un rendez-vous avec un des participants.*

Sa réaction fut immédiate : *J'ai toujours du temps pour toi.*

Elle répondit : *Je te donnerai les détails lundi. Bonne nuit.*

Souriante, elle brancha le chargeur sur son téléphone.

16

« Le chaos organisé », tels étaient les termes souvent utilisés par Kate Fulton quand il s'agissait de coucher ses enfants. Les jumelles de cinq ans, Ellen et Jared, avaient pris leur bain, enfilé leur pyjama et regardaient une vidéo de Barney dans le séjour. Les choses se passaient bien ce soir. Elles chantaient le refrain, ce qui signifiait qu'elles ne se disputaient pas.

Après plusieurs rappels, Jane avait enfin regagné sa chambre pour lire avant de se coucher.

À dix ans, elle avait annoncé qu'elle devrait avoir la permission de veiller plus tard que huit heures. « Toutes mes amies se couchent plus tard », avait-elle protesté. Kate avait dit qu'elle réfléchirait à sa demande.

Ryan, âgé de huit ans, était le plus facile. Il était toujours gentil et joyeux. Mais c'était aussi celui qui avait le plus d'accidents, comme en attestait le plâtre qui lui immobilisait le bras. Il était tombé de son nouveau vélo en essayant de conduire sans les mains.

En général, les bruits de sa maisonnée avant l'heure du coucher lui paraissaient étrangement réconfortants. Ce soir, cependant, tout ce qu'elle désirait était le silence. Trop d'autres bruits résonnaient dans sa tête.

Trois jours auparavant, elle avait eu la surprise de recevoir un appel téléphonique de Sandra Pierce. Kate n'avait pas eu de ses nouvelles depuis le dernier anniversaire de la disparition d'Amanda. Et puis ce soir, avant le dîner, Sandra l'avait rappelée pour la troisième fois, disant que Laurie Moran, la productrice de *Suspicion*, tenait à choisir l'histoire d'Amanda comme prochain sujet. Et dans la foulée, Laurie Moran avait téléphoné pour expliquer quelle serait sa participation à l'émission.

Sandra avait offert de payer toutes les dépenses, si bien que Kate pourrait amener Bill et les enfants. Si ça ne convenait pas, avait-elle dit, elle engagerait une baby-sitter pour garder les enfants en l'absence de Kate. « Ma mère serait heureuse de rester avec eux, avait dit Kate, mais j'accepte ton offre d'avoir quelqu'un pour l'aider. »

Elle se leva de table. Les jumelles commençaient à se chamailler. « Ouste, au lit tout le monde », dit-elle d'un ton ferme.

Le magasin était en plein inventaire. En tant que gérant, Bill y était encore et y resterait jusqu'à une heure indue.

Vingt minutes plus tard, le lave-vaisselle en marche et ses quatre enfants couchés, Kate s'assit tranquillement dans le bureau avec une deuxième tasse de café. Si cette production avait lieu, que ressentirait-elle en se retrouvant au Grand Victoria ?

Elle s'y était sentie tellement déplacée la dernière fois. Amanda, Charlotte et Meghan paraissaient si sophistiquées. Tellement new-yorkaises. Elle ressemblait à une petite-bourgeoise plan-plan à côté d'elles.

J'aime Bill depuis l'âge de treize ans, pensa-t-elle. Mais parfois je me demande ce que je serais devenue si je m'étais accordé quelques années après l'université pour vivre à New York et sortir avec d'autres gens, avoir un peu de temps pour souffler.

Elle avala une autre gorgée de café.

Je n'aurais jamais pensé que je retournerais à Palm Beach. Il y a cinq ans, j'y ai commis la pire erreur de ma vie. Personne ne doit jamais le savoir. Pitié, mon Dieu, pria-t-elle en silence, je vous en prie, faites que personne ne l'apprenne.

17

Walter Pierce reçut un e-mail de sa fille, Charlotte : Espère que tu aimeras ça autant que nous !

Nous. Elle parlait de son équipe à New York. Dix ans auparavant, chaque nouveau produit lui aurait été présenté dans son bureau, à l'usine, qui donnait sur les ateliers – croquis au crayon sur papier. Il aurait été le premier à décider s'il était bon pour Ladyform.

Aujourd'hui, il allumait son ordinateur. D'un clic de souris, il pouvait passer en revue une version numérisée sous tous les angles. Et un tas de gens dont il avait oublié les noms avaient déjà donné leur feu vert.

Il cliqua sur les images de ce qu'on appelait autrefois un sweat-shirt mais qui était connu à présent sous le nom de « hoodie ». Les manches étaient équipées de moufles qui pouvaient s'ôter d'un geste du poignet.

Le Walter d'autrefois aurait pris le téléphone et demandé à la personne qui proposait un vêtement aussi ridicule de lui expliquer pourquoi quelqu'un voudrait avoir des moufles qui se balançaient au bout des bras. Au lieu de quoi il cliqua sur réponse, tapa : *Formidable, Charlotte*, et envoya le message.

Le téléphone sonna. C'était Henry. Une agréable surprise. Normalement, c'était Walter qui appelait en premier.

« Je savais que je te trouverais au bureau », dit Henry.

La voix de son fils était chaleureuse, mais Walter savait que c'était son obsession pour le travail qui expliquait pourquoi Henry, son fils, et maintenant son ex-femme vivaient tous à l'autre bout du pays.

« J'allais partir. Ta sœur m'a envoyé un projet de modèle épatant. Comment vont Sandy et Mandy ? » Les deux filles de Henry s'appelaient Sandra et Amanda, des noms de leur grand-mère et de leur tante.

« Elles me donnent parfois du fil à retordre, toutes les deux. »

Walter sourit en écoutant son fils unique étaler sa fierté paternelle. Il se renversa dans son fauteuil, ferma les yeux et se dit que sa vie aurait été bien différente s'il s'était davantage comporté comme son fils. Henry consacrait autant de temps à ses filles que sa femme, Holly. Il entraînait leur équipe de foot, filmait leurs spectacles de danse et préparait le petit déjeuner tous les samedis avec elles afin que Holly puisse faire la grasse matinée.

J'essaye de me dire que les temps étaient différents quand mes enfants étaient petits, songea Walter, mais je sais que j'aurais pu être un père plus présent. « Dis-leur qu'elles manquent à leur grand-père », dit-il. Puis il ajouta : « Tu crois que ta mère est toujours heureuse à Seattle ? »

En parlant, il se balançait d'avant en arrière dans son fauteuil. Il avait toujours du mal à s'imaginer Sandra vivant seule. Il avait cherché à voir la maison sur le Net pour au moins en avoir une image, mais il n'avait vu que l'extérieur.

Henry resta silencieux pendant quelques secondes. « Elle s'y adapte bien, c'est sûr. C'est pourquoi je téléphonais. Elle t'a parlé de cette émission de télévision ?

— Elle était très excitée. Est-ce que la productrice a pris une décision ?

— Pas encore, mais le cas d'Amanda est bien sur la liste, dit Henry. Je voulais juste m'assurer que tu ne voyais pas d'inconvénient à t'engager. Je sais à quel point maman peut s'emballer. Tu ne dois pas te sentir obligé…

— Pas du tout. Comme je l'ai dit à ta mère, je suis fier qu'elle ait trouvé quelqu'un pour faire revivre l'histoire d'Amanda après toutes ces années. Elle y a mis tout son cœur.

— Mais toi, tu en as envie ?

— Bien sûr, si ta mère pense que ça peut être utile.

— Papa, c'est ce qui m'inquiète. Ne le fais pas pour maman, par culpabilité, ou parce que tu penses lui devoir quelque chose. Je sais qu'ignorer ce qu'est devenue Amanda a été la cause de votre séparation. »

Walter avait la gorge serrée. « Ta mère est la plus acharnée et la plus fidèle au souvenir des femmes que j'ai connues. Retrouver Amanda est devenu le but de sa vie. Crois-moi, si quelqu'un comprend le besoin de s'investir dans une passion, c'est bien moi.

— Papa, je ne parle pas de travail. Je sais que tu as souvent du mal à exprimer tes sentiments, mais pourquoi on ne parle jamais d'Amanda ?

— Je pense à ta sœur tous les jours.

— Je sais que tu l'aimes et qu'elle te manque. Comme à nous tous. Mais nous ne *parlons* jamais d'elle. Comment peux-tu être si sûr qu'Amanda est toujours en vie ?

— Je n'en ai jamais été sûr. Mais c'est mon espoir. »

Toutes les nuits, Walter imaginait sa ravissante fille et les aventures qu'elle avait peut-être. Elle avait toujours aimé le dessin. Peut-être était-elle peintre sur la côte amalfitaine ? Ou peut-être tenait-elle un petit restaurant tranquille à Nice ?

« À t'entendre, cela semble tellement possible, dit Henry. Au contraire, maman affirme qu'Amanda ne nous aurait jamais laissés nous inquiéter ainsi, ce qui paraît tout aussi crédible. Comment pouvez-vous l'un et l'autre avoir un avis si différent sur ce qui est arrivé ? »

Walter ouvrit la bouche mais aucun son n'en sortit. Il ne pouvait pas se lancer à nouveau dans cette histoire. Il dit : « Je suis content que tu m'aies téléphoné, fiston. Je suis partant. Ce sera bien de se voir en Floride.

— Tu peux quitter ton travail ? »

C'est drôle, pensa Walter. J'ai accepté sans même penser à l'entreprise. « Je m'absenterai du bureau aussi longtemps qu'il le faudra. »

Il savait qu'il avait mis trop longtemps à comprendre la vérité, qu'il avait été un mauvais père, incapable de communiquer avec ses enfants sur quoi que ce soit excepté le boulot. Mon fils, pensa-t-il, a filé sur la côte Ouest pour ne plus entendre parler de Ladyform au petit déjeuner, au déjeuner et au dîner. Ensuite, j'ai monté mes deux filles l'une contre l'autre, m'attendant à ce qu'elles entrent toutes les deux dans l'affaire familiale, sans leur montrer suffisamment mon approbation quand il le fallait.

Il aurait voulu dire à Henry pourquoi il croyait qu'Amanda se trouvait quelque part, vivant une nouvelle vie sous une nouvelle identité. C'était la seule façon pour elle, pensait-il, de se libérer de moi, la seule façon d'être la personne qu'elle voulait être. Mais il n'y parvint pas.

« Nous nous parlerons bientôt, disait Henry. Bien, papa, au revoir. »

En raccrochant, Walter se demanda si Sandra et ses enfants se rendraient jamais compte à quel point il avait changé dans les dernières années.

18

On était lundi matin, et Jerry et Grace étaient devant la porte de Laurie en train de se raconter ce qu'ils avaient fait pendant le week-end. De son poste d'observation, elle comprit que Grace en faisait des tonnes à propos de la beauté à tout casser de son dernier admirateur.

« Et où l'as-tu déniché celui-là ? demandait Jerry.

— Tu dis ça comme s'il y en avait des milliers, rétorqua Grace. Et pour être claire, c'est juste un flirt, rien de sérieux. J'ai rencontré Mark – celui-là comme tu dis – au practice du Chelsea Piers.

— Ah, parce que tu joues au golf ?

— Je suis une femme douée de mille talents. Les tenues sont adorables et les autres joueurs aussi ; comment veux-tu que ça ne me plaise pas ? Et en fait de surprise, tu es bronzé ou quoi ? »

Laurie se rendit compte qu'elle prêtait plus d'attention à leur bavardage qu'au mémo qu'elle rédigeait pour l'équipe marketing du studio. Elle aussi avait remarqué que la peau habituellement pâle de Jerry avait pris une teinte plus foncée.

« Je suis allé voir des amis à Fire Island. Et je ne suis pas bronzé. Contrairement à toi, j'ai deux options : papier mâché ou coup de soleil. »

Laurie sourit malgré elle en appuyant sur la fonction « Enregistrer » de son ordinateur et se levant de son bureau. « Bon, vous êtes prêts pour notre réunion ? »

Une fois qu'ils furent installés à leurs places habituelles – Grace et Jerry sur le canapé, Laurie dans le fauteuil pivotant gris –, elle demanda qui voulait commencer.

Elle était impatiente d'entendre leur rapport. Normalement, c'était elle qui menait la barque, mais quand il s'agissait de réseaux sociaux, elle était nulle. Elle comprenait à peine la différence entre un tweet et un statut Facebook, entre un « J'aime » et un « Partager ». Mais Jerry et Grace, plus jeunes de dix ans, semblaient parfaitement à l'aise dans le monde virtuel.

Moyen pratique de diviser le travail en deux, Laurie avait demandé à Jerry de voir ce qu'il pouvait trouver sur Jeff et ses invités, tandis que Grace cherchait du côté des amis d'Amanda.

Jerry ne se fit pas prier pour commencer : « Jeff est très peu présent sur les réseaux sociaux. Il a juste un profil LinkedIn – c'est pour le réseau professionnel, ajouta-t-il à l'intention de Laurie – et une page Facebook relativement calme. Mais j'ai pu m'assurer qu'il est encore en contact avec Nick Young et Austin Pratt, tous les deux très actifs en ligne et toujours très BFF. »

Best Friends Forever, meilleurs amis à jamais. Entre Jerry, Grace et son fils, Laurie maîtrisait le langage d'aujourd'hui.

« Austin et Nick sont toujours de joyeux célibataires, alors que Jeff s'est installé à Brooklyn avec sa femme, Meghan. »

Grace regarda Jerry d'un air interrogateur. « C'est tout ? J'aurais aimé que mon boulot soit aussi simple.

— J'ai aussi téléphoné au Grand Victoria. Tu veux que je déballe tout ça ?

— Une chose à la fois, les amis. Grace ?

— Bon, comme les gens dont je m'occupe sont plus compliqués, dit-elle avec un sourire satisfait, je vais les prendre l'un après l'autre. Meghan White, comme on l'a mentionné, est mariée à Jeff. Elle n'a ni Facebook, ni Twitter, rien. L'autre copine de l'université était Kate Fulton. Elle a quatre gosses et vit à Atlanta. Son mari est le gérant d'un magasin de bricolage. Il y a des vieilles photos d'elle sur sa page Facebook avec Meghan et Amanda, mais à ma connaissance elle n'est pas restée en contact avec ses anciennes copines. Nous avons Charlotte, la sœur d'Amanda, qui travaille à Ladyform à New York. Et son frère, Henry, qui vit à Seattle. Il est copropriétaire d'une exploitation vinicole, marié, père de deux filles, du moins selon ses posts en ligne. »

Laurie hochait la tête. Les trois de Colby, toujours en contact. Meghan aujourd'hui mariée à Jeff. La famille d'Amanda éparpillée dans le pays. Kate l'amie de l'université, mariée avec quatre enfants à Atlanta.

« Jerry, tu as eu une réponse du Grand Victoria ? »
demanda-t-elle. Sa plus grosse inquiétude était que la
direction ne les laisse pas filmer sur les lieux.

« J'ai parlé aux gens du siège social aujourd'hui. Ils
sont tout prêts à coopérer. La disparition d'Amanda a
été un fiasco pour leur image, aussi j'ai l'impression
qu'ils veulent nous aider par tous les moyens. Ils ont
même gardé les copies des films qu'ils ont confiés
à la police.

— Vraiment ? Y a-t-il un moyen de les voir ?

— Ils ont accepté de les envoyer cette semaine. »

Les pièces se mettaient en place. Jeff était encore
en contact avec ses deux garçons d'honneur et, visiblement, n'aurait pu être plus proche de Meghan. Si
elle arrivait à le décider, ils seraient fin prêts. Et s'il
refusait, elle avait un plan pour le convaincre : Alex.

19

Quand Laurie sortit de chez elle à dix-huit heures, Alex était sur le trottoir, à côté de sa berline noire. Pile à l'heure. Elle aurait dû s'en douter.

« Ça fait une heure que j'attends.

— Tu parles ! »

Laurie connaissait Alex depuis plus d'un an, mais chaque fois qu'elle le voyait, elle éprouvait toujours le même frisson. Ancien basketteur de son équipe universitaire, il faisait un mètre quatre-vingt-treize et avait conservé sa carrure d'athlète. Il avait des cheveux bruns ondulés, la mâchoire volontaire et des yeux bleu-vert qui restaient lumineux derrière ses lunettes à monture noire. Si Alex Buckley était devenu un des experts juridiques les plus demandés sur les plateaux de télévision, il y avait une raison, et ce n'était pas uniquement grâce à son extraordinaire succès dans le prétoire.

Elle l'embrassa. « Quelle chance que tu puisses m'accompagner, je n'en reviens pas. »

Officiellement, Alex était le présentateur de *Suspicion*. Sa longue pratique des contre-interrogatoires menés en audience lui apportait une expérience idéale pour le format de l'émission. Pour les épisodes précédents, il n'était intervenu que peu de temps avant le tournage. Mais en ce qui les concernait tous les deux, les frontières entre rôles officiel et officieux s'étaient brouillées depuis la réalisation de la dernière émission, trois mois auparavant.

Il lui ouvrit la portière puis fit le tour de la voiture et prit place à côté d'elle. Devançant sa question, elle lui tendit l'adresse de Jeff et Meghan à Brooklyn.

« Je crois t'avoir dit que je trouverais toujours du temps pour toi, dit-il gentiment.

— Arrête ! Il y a une éternité que tu n'as pas quitté le cabinet avant dix-huit heures. Je suis vraiment étonnée. Comment se fait-il que tu aies pu te libérer comme ça ?

— Voilà ce que c'est de sortir avec une journaliste – je me fais cuisiner, répondit Alex en riant. Je me suis débarrassé d'un procès prévu aujourd'hui en faisant déclarer irrecevables la plupart des preuves. »

C'est vrai qu'ils sortaient ensemble, se dit-elle. On ne pouvait pas dire les choses autrement.

« Ça ne m'étonne pas que tu aies réussi et je te remercie de ton aide », dit-elle tandis qu'il lui prenait la main. Ce geste lui semblait totalement naturel.

« Alors, dis-moi, que se passe-t-il à Brooklyn ? demanda-t-il.

— Tu te souviens de l'affaire de la Mariée Envolée ? »

Alex leva les yeux, fouillant dans ses souvenirs. « Quelque part au soleil. Un bel hôtel. En Floride ?

— Exactement. Le Grand Victoria à Palm Beach.

— Qu'est-il arrivé, finalement ? Si ma mémoire est bonne, il y avait deux hypothèses à l'époque : soit il s'agissait d'un acte criminel, soit elle avait eu le trac et s'était enfuie. »

Décidément, se dit Laurie, ne pas avoir suivi l'histoire à l'époque où elle défrayait la chronique la désavantageait. « Plus de cinq ans sans donner de nouvelles, on ne peut plus parler de trac.

— Rien ? Pas même un cadavre ? »

Laurie avait beau être journaliste, fille de policier et veuve d'un urgentiste, elle n'était toujours pas habituée au détachement avec lequel Alex parlait des crimes. « D'après la mère d'Amanda, il n'y a eu aucune avancée depuis toutes ces années. J'ai l'impression que les policiers étaient divisés en deux camps, ceux qui pensaient qu'elle était partie d'elle-même et ceux qui se disaient qu'elle était morte. Quoi qu'il en soit, ils ont stoppé les recherches. C'est un dossier classé.

— Autrement dit, un dossier pour toi. Et qu'y a-t-il à Brooklyn ?

— Le garçon qui devait se marier, Jeff Hunter. »

Laurie lui brossa sa biographie à grands traits : université de Colby, Fordham Law, avocat commis d'office à Brooklyn depuis la fin de ses études.

« C'est là que ça devient intéressant. » Elle lui parla du testament d'Amanda qui léguait son trust à Jeff, son fiancé. « La mère d'Amanda considère que c'est notre suspect numéro un.

— Tu penses qu'en bon avocat pénaliste, il risque de trouver une façon de s'abriter derrière le cinquième amendement et de refuser de participer à l'émission ?

— Exactement. En plus, sa femme est avocate, elle aussi. Elle s'appelle Meghan White. Elle est spécialiste en droit de l'immigration, et non en droit pénal, mais tout de même…

— Même s'il est d'accord, tu as peur qu'elle essaie de l'en empêcher ?

— Ou qu'elle ait elle-même des raisons de se taire. Parce que en fait, c'était la meilleure amie d'Amanda. Elle était aussi au Grand Victoria et fait donc également partie des suspects. Épouser le fiancé de sa meilleure amie quinze mois à peine après sa disparition, ça me paraît un peu rapide. Comme tu es du métier, je me suis dit que tu pourrais m'aider à les convaincre de participer à l'émission.

— Il paraît que je peux être très persuasif. Mais on est sûrs qu'ils sont chez eux ?

— Je leur ai laissé un message à tous les deux. De toute évidence, ils ont dû se parler et Jeff m'a rappelée. Ça n'a pas été facile de le convaincre, mais il a fini par accepter de nous recevoir. »

Il se pencha vers elle jusqu'à ce que leurs épaules se touchent.

« Palm Beach m'a l'air d'un endroit idéal pour le tournage, qu'en dites-vous, cher maître ? lui demanda-t-elle.

— Absolument. »

20

La maison mitoyenne divisée en appartements était celle que Laurie avait vue sur Google Maps en se servant de la fonction Street View.

C'était un bâtiment de trois étages sans ascenseur. Il n'y avait pas de portier.

Elle pressa le bouton de l'interphone marqué Hunter/White. Bien que la mère d'Amanda ait appelé Meghan « Mme Jeffrey Hunter », Laurie savait que Meghan avait gardé son nom de jeune fille. Elle avait déjà préparé ce qu'elle allait dire. Au bout de quelques secondes, elle regarda Alex d'un air anxieux. Il appuya à son tour sur le bouton.

« L'interphone est cassé, madame Moran. » La voix venait d'en haut, au premier étage. Elle reconnut Jeff Hunter, qui passait la tête par la fenêtre, pour l'avoir vu sur la photo de son profil LinkedIn que Jerry lui avait montrée. « Mais vous êtes Alex Buckley ? »

Laurie vit que Jeff avait l'air ébahi.

« Je viens justement d'utiliser vos conclusions dans un séminaire destiné à nos nouveaux avocats. Magistrales. Absolument magistrales. »

Alex lui fit un signe amical. « Je suis très flatté. Merci.

— Montez donc. » Il leur jeta un trousseau de clés qu'Alex attrapa au vol. « Joli », dit Jeff.

Tandis qu'Alex ouvrait la porte, Laurie lui glissa : « Tu as vu comme il te regardait ? On dirait un gamin à qui Derek Jeter vient de signer un autographe.

— Je me vois bien en champion de baseball ! Le Derek Jeter du barreau !

— Je t'avais bien dit que tu pouvais être utile. »

Jeff les attendait au premier, la porte de l'appartement ouverte. Il mesurait un peu plus d'un mètre quatre-vingts, les cheveux bruns, les yeux noisette, le regard profond.

« Entrez, je vous prie. Au fait, je suis Jeff Hunter, mais vous le savez sans doute. » Il serra la main d'Alex puis salua Laurie.

Quand il les invita à s'installer dans le salon, Laurie fut soulagée de le voir aussi aimable. L'appartement était petit mais confortable, avec un mélange de meubles de style colonial et de mobilier contemporain. En parcourant rapidement les photos disposées sur la console, elle se fit une idée de Meghan. Grande, mince, brune, les cheveux longs et bouclés, les traits anguleux, elle était exactement l'opposé d'Amanda.

« Meghan n'est pas encore rentrée du cabinet, expliqua-t-il, et elle risque de ne pas être là avant une heure, sinon plus. »

Laurie espérait les rencontrer tous les deux mais, d'un autre côté, c'était peut-être la seule occasion de parler à Jeff en tête à tête.

« Au téléphone, vous m'avez dit que vous connaissiez l'émission, dit-elle. Vous savez donc qu'il ne s'agit pas de désigner un suspect en particulier, mais plutôt de montrer comment les crimes non résolus peuvent peser sur tout l'entourage de la victime. L'incertitude. L'impossibilité de faire son deuil.

— Les chuchotements quand les gens entendent mon nom », ajouta amèrement Jeff.

Laurie hocha la tête. « Vous voyez donc de quoi je parle.

— Comment voulez-vous qu'il en soit autrement ? Après la disparition d'Amanda, j'étais totalement hébété. Un jour, je suis même allé à une conférence de presse avec des chaussures dépareillées. En faisant les valises, au moment de partir, je ne me suis même pas aperçu que les alliances avaient disparu. C'était fou, j'avais l'impression d'abandonner Amanda... »

Alex l'interrompit : « Les alliances avaient disparu ? C'est Amanda qui les avait ? Je ne me rappelle pas qu'on ait mentionné le vol lors de sa disparition.

— Je n'ai aucune idée de ce qu'elles sont devenues. Je les avais mises dans le coffre de ma chambre, mais j'admets que j'oubliais parfois de le verrouiller. Un employé de l'hôtel a dû les voler, mais allez savoir ? Cela remonte à si loin. Le plus dur, il y a cinq ans, ça a été au moment de monter dans l'avion. Nick et Austin, mes deux amis, sont venus m'aider à faire mes bagages, enfin, faire les bagages, c'est beaucoup dire. J'étais chamboulé. On a fourré mes vêtements, mes chaussures, tout, dans la valise. Il se peut même que j'aie jeté les alliances par inadvertance. J'étais complètement à côté de la plaque. Je ne me rendais même pas compte que j'étais soupçonné jusqu'au moment où Nick et Austin m'ont pris à part pour me dire que les enquêteurs me considéraient comme le principal suspect. »

Jeff secoua la tête, repensant à la scène. « Ils m'ont convaincu que je devais me protéger. Soudain, il n'était plus question que d'argent, du fait que la famille d'Amanda en avait, et la mienne non. Les journalistes appelaient Amanda l'Héritière Ladyform. En comparaison, je faisais l'effet d'un vulgaire coureur de dot.

— C'est à ce moment-là que vous avez pris un avocat ? demanda Laurie.

— Oui. Mes amis voulaient me protéger, mais je n'ai jamais rien eu à cacher. La première fois que j'ai vu votre émission, j'ai même envisagé de vous contacter. Je pensais que c'était un bon moyen de faire à nouveau parler de l'histoire d'Amanda. Mais je me suis dit que son père ne serait pas d'accord.

— Et pourquoi ?

— Ce n'est pas son genre. Walter est hyperdiscret, réservé. Vieux jeu. Il trouverait ça… déplacé.

— En fait, c'est Sandra qui a eu l'idée, expliqua Laurie, mais il a accepté.

— Là encore, ça ne lui ressemble pas. Dans la famille, c'est lui le patron, à tout point de vue. »

Laurie perçut une certaine amertume dans cette déclaration, mais elle creuserait la question le moment venu. S'il venait.

« En fait, ils sont séparés. »

Jeff regarda ses pieds. « Je ne savais pas. C'est très triste. On ne… enfin, disons que nous ne sommes plus en contact. C'est si bizarre de ne plus les voir. À l'époque je faisais presque partie de la famille. Au moment où on allait se marier, j'appelais Sandra et Walter par leurs prénoms. Henry disait que j'étais le frère qu'il n'avait jamais eu ; c'est vous dire si nous étions proches. Même Charlotte, la sœur d'Amanda, commençait à m'apprécier, et quand vous la rencontrerez, vous verrez que ce n'était pas gagné d'avance. Mais lorsque je leur ai annoncé que je sortais avec Meghan… vous êtes au courant, j'imagine ? »

Laurie hocha la tête.

« Je ne voulais pas le leur cacher. J'ai dit à Sandra que j'étais sûr des sentiments que j'éprouvais pour Meghan. Manifestement, ils n'ont plus eu la même image de moi. Je n'étais plus leur "saint Jeffrey". C'était mon surnom. Ils me l'avaient donné pour plaisanter à l'époque où Amanda était tombée malade.

— Amanda était malade ?

— Au moment du mariage, non, mais elle avait eu la maladie d'Hodgkin. Elle avait vingt-six ans quand le diagnostic est tombé. On sortait ensemble depuis un an seulement, mais en pointillé, comme souvent, quand on est jeune.

— Juste un an ? demanda Alex.

— Vraiment ensemble, oui. Les médias ont raconté qu'on était en couple à l'université, mais en fait, à Colby, on se connaissait, sans plus. En réalité, c'est grâce à Meghan que nous nous sommes revus quand on s'est tous installés à New York. Meghan et moi, nous étions tous les deux avocats et Amanda était venue ouvrir un bureau à New York pour l'entreprise de son père. D'emblée, nous nous sommes beaucoup plu, mais au début, notre couple n'était pas une priorité. On travaillait tout le temps, l'un et l'autre. Quoi qu'il en soit, quand son cancer a été diagnostiqué, je me suis rendu compte que je ne voulais pas passer une seconde de plus loin de cette femme merveilleuse. Je l'ai demandée en mariage avant même de savoir si elle allait s'en sortir. La chimio la rendait malade, c'était horrible à voir, mais elle a été la plus forte. C'est de cette époque que date le surnom de saint Jeffrey. Chaque fois qu'elle allait chez le médecin, chaque fois qu'elle se sentait mal, j'étais à ses côtés. »

Alex jeta un coup d'œil préoccupé à Laurie. Il devait se dire que cela ne correspondait pas du tout à l'image que Sandra avait donnée de Jeff. « Cela expliquerait-il que tout le monde ait aussitôt cru qu'elle avait simplement fait machine arrière ? Elle culpabilisait peut-être à l'idée de tout annuler alors que vous étiez resté à ses côtés tout au long du traitement.

— Amanda n'était pas comme ça, ou du moins elle ne l'était plus. Après le traitement contre le cancer, elle avait perdu près de dix kilos, mais je n'avais jamais vu quelqu'un d'aussi fort. En fait, à la fin de mon interrogatoire, la police avait même inversé les choses. C'était soi-disant saint Jeffrey qui ne voulait plus se marier. Apparemment, j'aurais préféré tuer une femme que me déshonorer en rompant avec elle. En plus, vous devez avoir entendu parler du testament.

— Sandra y a fait allusion. La famille d'Amanda ne s'y attendait pas.

— Si j'étais si attaché que ça à l'argent, est-ce que je serais avocat commis d'office ? S'il n'avait tenu qu'à moi, on se serait mariés dans l'intimité à New York. C'est Amanda et sa famille qui voulaient à tout prix un mariage en grande pompe. Je ne voulais pas de leur argent et je n'en veux toujours pas. On n'arrivera jamais à me faire croire qu'Amanda a simplement tourné le dos à une vie merveilleuse, mais je m'efforce de garder l'espoir, aussi mince soit-il, qu'elle est encore en vie.

— À quel moment vous êtes-vous aperçu qu'elle n'était plus là ? demanda Laurie.

— Le vendredi matin, elle n'était pas au brunch. Au début, nous nous sommes dit qu'elle faisait la grasse matinée. J'ai appelé sa chambre pour lui demander si elle voulait que je lui fasse monter un petit déjeuner. Comme elle ne répondait pas, je suis allé voir. Meghan est venue avec moi. Amanda n'a pas ouvert. On a cherché partout – la salle de sport, la plage, la piscine –, puis nous avons fini par demander une autre clé à la réception. J'ai été tellement soulagé en voyant la robe de mariée étalée sur le lit. Je me disais qu'elle avait dû l'essayer une dernière fois et la laisser sortie. Mais Meghan m'a expliqué qu'Amanda l'avait essayée la veille, avant le dîner. C'est à ce moment-là qu'elle m'a dit que personne n'avait vu Amanda retourner dans sa chambre. Il était évident que quelque chose de grave était arrivé. Le ménage n'avait pas été fait ce matin-là. Le lit n'avait pas été défait le jeudi soir. »

La description que donnait Jeff de la panique qui l'avait saisi en s'apercevant qu'Amanda n'avait pas dormi à l'hôtel semblait trop sincère pour avoir été inventée de toutes pièces. Mais Laurie se rappela qu'il avait eu cinq ans pour répéter sa version des faits.

« Monsieur Hunter, dit-elle. Beaucoup de gens vous soupçonnent d'être lié à la disparition d'Amanda et c'est l'occasion pour vous de prouver votre innocence. Nous voulons consacrer une émission à cette affaire. Comme j'étais sûre que vous voudriez en prendre connaissance un jour ou l'autre, je me suis permis d'apporter la décharge standard que nous faisons signer aux participants avant le tournage. » Elle chercha dans sa serviette et lui tendit l'autorisation.

« Si j'accepte, j'imagine que tous les sujets seront abordés. Le testament. Mes relations avec Amanda.

Si nous étions heureux. Si je la trompais. Si elle m'a plaqué le jour du mariage. »

Laurie n'allait pas lui mentir. « Oui, c'est en effet ce qui nous intéresse. »

Il feuilletait les pages en hochant lentement la tête. « D'accord.

— Je peux vous envoyer une copie des émissions précédentes si vous voulez les revoir et nous poser éventuellement des questions.

— Non, je veux dire, c'est entendu, je vais faire l'émission. »

Il alla dans la cuisine, prit un stylo sur le plan de travail et commença à signer.

« Formidable. » Autant qu'elle s'en souvienne, Laurie n'avait jamais vu quelqu'un accepter aussi facilement. Alex lui glissa un clin d'œil à la dérobée.

« Vous avez l'air étonnée, lui dit Jeff en tendant le document signé à Laurie.

— Non, contente, c'est tout.

— Je ne suis pas Alex Buckley, madame Moran, mais je suis un bon avocat et je sais déchiffrer l'expression des témoins. Vous êtes étonnée parce qu'au fond de vous vous croyez que j'ai peut-être tué Amanda et que dans ce cas-là, s'il y a bien quelque chose dont je me passerais, c'est de vous parler de sa disparition devant les caméras. Je suis impatient de faire l'objet d'un de vos célèbres contre-interrogatoires, Alex, car je n'ai pas fait de mal à Amanda et j'en aurais été incapable.

— C'est l'occasion pour vous de le clamer haut et fort, dit Laurie.

— Je me fiche de ce qu'on pense de moi. Je veux juste savoir ce qui lui est arrivé. Parce que je suis convaincu qu'elle n'a pas quitté l'hôtel d'elle-même. »

21

En arrivant chez elle, Meghan White fut accueillie par un délicieux fumet qui s'échappait du four. Jeff était dans la cuisine et portait le tablier qu'elle lui avait offert l'année précédente, sur lequel était écrit : « Les vrais hommes font des gâteaux. »

« Ça sent merveilleusement bon. » Elle avait tellement de chance d'avoir un mari qui sache cuisiner. Chez lui, tout la rendait heureuse. Il était drôle, gentil, c'était son plus proche confident, son meilleur ami. Elle attendait le bon moment pour lui annoncer la nouvelle. « Qu'est-ce que tu nous as préparé ? demanda-t-elle.

— Des côtelettes d'agneau à l'ail et au romarin. C'est ton plat préféré, non ? »

Il l'enlaça plus longuement que d'habitude.

Quand il la lâcha, il avait l'air préoccupé.

« Tout va bien ? demanda Meghan.

— Assieds-toi.

— Tu me fais peur, Jeff.

— Assieds-toi. S'il te plaît. »

Lorsqu'elle s'exécuta, il lui servit un verre de prosecco et attendit qu'elle boive, mais elle n'y toucha pas.

« Je n'ai pas besoin de vin pour t'écouter, dit Meghan. Comment s'est passé le rendez-vous ? Je ne pouvais absolument pas quitter le cabinet.

— J'aurais dû attendre d'en discuter avec toi. J'ai accepté de participer à l'émission. »

Un quart d'heure plus tard, Meghan était assise au bord du lit, les yeux rivés sur le verre de vin encore plein posé sur sa table de chevet. Elle était allée enfiler un pantalon décontracté et un pull. Mais elle avait également besoin de temps pour réfléchir. La décision était déjà prise. Elle avait senti la détermination dans la voix de Jeff. Il ne changerait pas d'avis. Il ne lui avait pas demandé la permission. Il lui avait annoncé la nouvelle : il participerait à l'émission. Et Meghan savait qu'en réalité il prenait la décision pour eux deux. Comment pouvait-elle refuser ? Que dirait-on si elle essayait d'empêcher la réouverture de l'enquête après s'être mariée avec celui qu'Amanda devait épouser ?

Elle essuya une larme du revers de la main. À l'époque où toutes les chaînes d'information en continu parlaient en boucle de la disparition d'Amanda, Meghan avait réussi à rester à l'écart. C'étaient les parents d'Amanda qui s'étaient retrouvés sur le devant de la scène, avec Jeff à leurs côtés.

Pendant des mois, les journalistes avaient harcelé Jeff pour lui demander ses réactions.

Quand ils s'étaient mariés, elle avait été terrorisée à l'idée que la folie médiatique recommence. C'est pour cette raison qu'ils étaient allés discrètement au tribunal. Et qu'elle n'avait pas pris le nom de Jeff. Elle ne voulait pas attirer l'attention sur elle.

Mais cette émission les exposerait à des millions de regards critiques. Les téléspectateurs se demanderaient comment une femme avait pu voler le fiancé de son amie. Comment un homme avait pu épouser si vite une autre femme après la disparition de sa chère Amanda. Tout le monde les détesterait.

Elle souleva son verre, mais le reposa en se disant que ce n'était pas raisonnable.

Elle s'imagina devoir s'expliquer sur son mariage devant des inconnus, et en étant filmée qui plus est. *Quand nous sommes tombés amoureux, Jeff et moi, nous avons été les premiers surpris.* Ils avaient perdu contact depuis qu'ils avaient quitté l'université, mais leurs chemins s'étaient de nouveau croisés après leurs études de droit, lorsque Meghan avait aidé Jeff à régler un dossier d'immigration épineux pour l'un de ses clients. Il l'avait invitée à dîner pour la remercier. Après leurs deux premiers rendez-vous en tête à tête, ils avaient préféré s'en tenir là et conserver des rapports strictement amicaux et professionnels. Puis Jeff était tombé par hasard sur Meghan dans un café proche du tribunal où elle devait retrouver Amanda. Elle avait aussitôt senti que son amie et Jeff étaient attirés l'un par l'autre. Et dire que si Amanda était arrivée quelques minutes plus tard, leurs chemins ne se seraient peut-être jamais recroisés.

En ce cas, comment s'étaient-ils retrouvés ensemble ? On ne manquerait pas de lui poser la question à l'émission. En réalité, c'est Amanda qui les avait réunis. Après sa disparition, ils s'étaient mutuellement consolés d'avoir perdu une femme qu'ils aimaient tous les deux. Au départ, c'était simplement de l'amitié, puis un lien plus profond s'était noué entre eux. Et ce lien était tel que Meghan savait ce qui lui restait à faire.

Elle retourna à la cuisine en s'arrêtant au passage dans la salle de bains du couloir pour vider son verre de vin dans le lavabo. Jeff était occupé à couper une tomate sur le plan de travail. Elle l'entoura de ses bras. « D'accord, on va faire l'émission. Ensemble. Pour Amanda. Et pour nous. »

Il se retourna et l'embrassa sur la joue. « Je savais que je pouvais compter sur toi. Comment ça s'est passé au cabinet, aujourd'hui ? Quand tu es rentrée, j'ai eu l'impression que tu avais quelque chose à me dire. »

Il lisait toujours dans ses pensées. « Rien d'important. J'ai réussi à faire prolonger le visa de Mme Tran.

— Formidable. Je sais que ça te préoccupait. »

Elle attendrait quelques jours pour lui annoncer la nouvelle. Elle ne voulait pas que l'histoire d'Amanda éclipse le bonheur qu'elle éprouvait à l'idée d'être enfin enceinte. Le test de grossesse qu'elle avait fait était positif. Elle avait pris rendez-vous avec son médecin pour effectuer une analyse complémentaire afin d'en avoir la confirmation. Si les nouvelles étaient bonnes, il faudrait qu'elle s'assure que les problèmes qu'elle avait eus par le passé avec les médicaments n'affecteraient pas le bébé. Un bébé. Incroyable. À cette pensée, sa gorge se noua.

Jeff l'enlaça. Elle se sentait en sécurité, tout irait bien. « Ne t'en fais pas pour l'émission, dit-il. On dira simplement que nous n'avons jamais rien éprouvé l'un pour l'autre jusque… après. Les gens comprendront. »

Ce ne serait pas la première fois qu'elle devrait s'expliquer sur leur relation. Devant ses parents. Devant leurs amis. L'histoire consacrée, c'était qu'ils s'étaient peu à peu attachés l'un à l'autre après la disparition d'Amanda. En ce qui me concerne, c'est faux, se dit-elle. J'étais follement amoureuse de Jeff avant. Mais cela, personne n'avait besoin de le savoir.

Meghan était aussi douée pour le mensonge que son amie Amanda.

22

En sortant de chez Jeff, ils allèrent directement au Gotham Bar & Grill. Le maître d'hôtel accueillit Alex en lui serrant chaleureusement la main. « Bonsoir monsieur Buckley. »

Alex le présenta à Laurie en l'appelant Joseph. Elle était venue là à plusieurs reprises, mais elle n'appelait pas les membres du personnel par leurs prénoms et n'aurait jamais pu obtenir une table sur un simple coup de fil passé dans la voiture dix minutes auparavant.

Lorsqu'ils furent attablés, le sommelier arriva en présentant à Alex une sélection de trois cabernets. Manifestement, c'était un habitué des lieux. Mais cela, elle le savait déjà.

Tandis qu'on leur servait le vin qu'avait choisi Alex, Laurie jeta un œil à son portable. Elle avait un texto de son père, en réponse à celui qu'elle lui avait envoyé dans la voiture. *Timmy est ravi, on a commandé une pizza. Arrête de t'inquiéter et profite bien de ta soirée.*

Elle savait que son père était enchanté de se retrouver en tête à tête avec son petit-fils, mais elle ne pouvait pas s'empêcher d'éprouver une pointe de remords. Elle ne serait jamais rentrée à temps pour embrasser Timmy avant qu'il se couche.

« Tout va bien, chez toi ? » lui demanda Alex. Naturellement, il avait deviné à quoi elle pensait.

« Impeccable. C'est fou, quand on a huit ans, il n'y a rien de tel qu'une pizza pepperoni pour vous rendre heureux. » Bien décidée à ne pas passer toute la soirée à parler de son fils, Laurie lui demanda ce qu'il pensait de Jeff. « Tu as remarqué que c'est lui qui a abordé la question du testament d'Amanda ?

— Il m'a paru très intelligent, il sait pourquoi on le soupçonne.

— Sois honnête, tu le trouves intelligent parce que Alex Buckley est son idole.

— Tu adores me provoquer », remarqua Alex avec un sourire narquois. « Tu le crois quand il dit qu'il n'a jamais voulu de l'argent d'Amanda ?

— En fait, oui. Tu as vu son appartement. Il est modeste, mais confortable. S'il le voulait, il pourrait sans doute gagner plus d'argent en quittant son poste d'avocat commis d'office. Ou faire établir officiellement le décès d'Amanda pour pouvoir hériter. »

Sandra lui avait appris qu'à New York, la loi autorisait Jeff à saisir le tribunal afin de faire déclarer le décès d'Amanda sans attendre le délai habituel de sept ans. Après avoir évalué toutes les circonstances de la disparition, le juge pouvait conclure que la personne était très certainement décédée.

116

« Il n'est peut-être pas au courant de cette possibilité, Laurie. Les pénalistes ne connaissent pas forcément toutes les finesses des clauses testamentaires. »

Il leur faudrait chercher à déterminer avant le tournage si Jeff savait ou non qu'il était en mesure d'hériter du trust d'Amanda. Avec les participants à l'émission, leur méthode habituelle était d'y aller tout d'abord en douceur, comme ils l'avaient fait avec Jeff. Une fois leurs recherches terminées, Alex posait les questions les plus percutantes devant la caméra.

« Merci encore de m'avoir accompagnée à Brooklyn, Alex.

— Tu n'as même pas eu besoin de moi. Jeff avait plutôt l'air pressé de signer. Il pense pouvoir persuader sa femme également.

— Il n'avait pas tort quand il disait que j'étais étonnée. J'ai failli en tomber de ma chaise.

— C'est parce qu'il est avocat que tu t'attendais à ce qu'il se montre peu coopératif ? Nous ne sommes pas tous des enquiquineurs, dit-il avec un sourire ironique.

— À en croire Sandra, la mère d'Amanda, c'est un Don Juan coureur de dot. Apparemment, ses deux meilleurs amis sont des célibataires très m'as-tu-vu. Jeff, lui, m'a l'air d'un garçon bien et sérieux.

— Si tu savais le nombre de clients coupables qui savent parfaitement jouer la comédie si nécessaire. Je devrais distribuer des oscars au cabinet.

— Tu as sans doute raison. Mais je me demande tout de même si Sandra n'a pas tiré des conclusions hâtives. C'est pour cette raison que je fais attention quand j'accepte des affaires à la demande des familles. On se laisse facilement influencer par leur opinion.

— Je te connais, Laurie, tu gardes toujours l'esprit ouvert. »

Un serveur vint leur débiter les nouveautés de la carte. Laurie l'écouta en hochant la tête, bien qu'elle sache déjà ce qu'elle voulait. Elle espérait qu'Alex ne surestimait pas sa capacité à rester neutre. Ce qu'elle ne lui disait pas, en revanche, c'est que Jeff n'était pas sans lui rappeler Greg. Cette ressemblance l'avait frappée quand elle avait entendu Jeff raconter qu'il était allé à une conférence de presse avec deux chaussures différentes. Greg était un jour rentré de l'hôpital en arborant des mocassins dépareillés après une garde trop longue. Mais il n'y avait pas que cette anecdote. Dès la seconde où Jeff leur avait jeté les clés par la fenêtre, il lui avait paru sympathique et chaleureux.

Se pouvait-il qu'il joue la comédie ? Laurie en doutait. Mais comment réagirait-il quand Alex le mettrait au pied du mur ?

23

Quelques blocs plus haut, un serveur apportait une côte de bœuf de près d'un kilo et demi à une table du Keen's Steakhouse. Nick Young admira le marquage parfait de la viande et lui fit un signe d'approbation. Lorsque le serveur leur eut resservi du vin et se fut éloigné, il leva son verre pour porter un énième toast.

« Oh, pourquoi pas ? acquiesça Austin.

— Aux yachts et aux gonzesses ! »

Ils éclatèrent de rire.

L'année précédente, ils avaient souscrit un abonnement à un prestigieux service international de location de bateaux. Ils pouvaient demander à ce qu'un bateau leur soit amené à quai dans un certain nombre de lieux de villégiature. Ils avaient une préférence pour les petits yachts avec des cabines, qu'ils avaient le droit de manœuvrer eux-mêmes. Ils en louaient depuis l'été précédent, parfois ensemble, parfois chacun de leur côté. Ils avaient fait plusieurs croisières dans les Caraïbes.

Nick avait fait faire un panneau qu'il fixait sur le garde-corps de tous les bateaux qu'il louait, avec l'inscription LES FEMMES D'ABORD, et il ne plaisantait pas. Il y avait plus de femmes que de clients qui levaient l'ancre avec Nick.

Austin s'était aperçu que le bateau était un des meilleurs moyens de divertir ses clients et il les emmenait en croisière le temps d'un déjeuner ou d'un dîner. Quand il invitait des clients, il embauchait un capitaine pour naviguer et une hôtesse pour servir les boissons et préparer le repas. Il s'était également fait faire un panneau pour ses bateaux. Il avait pris pour nom LA COLOMBE SOLITAIRE.

Il regarda son vieil ami descendre d'un trait le tiers de son verre.

Auparavant, jamais il ne se serait permis de s'interroger sur la consommation d'alcool de Nick. Mais Austin n'était plus le gamin chétif, timide et cérébral qui avait emménagé en face de chez Nick à Baltimore, quand ils avaient sept ans. Ils avaient beau avoir le même âge, Nick était devenu une sorte de grand frère qui veillait sur lui à l'école primaire car il était plus petit et moins sûr de lui que les autres enfants.

Sans surprise, lorsque Nick a choisi d'aller à Colby, je l'ai suivi, se rappelait Austin. Nick, qui avait le don de se faire apprécier partout où il allait, me faisait participer à toutes ses activités. Ses amis sont devenus mes amis.

Il ne se rendait pas compte que Nick, agacé par son allusion aux verres qu'il vidait les uns après les autres, le lorgnait d'un œil envieux.

Il a une tête de comptable, avec ses lunettes sans monture et son crâne dégarni, se disait Nick. Il est parfaitement quelconque.

Autrefois, il rêvait d'être comme moi, mais à certains égards, aujourd'hui, il me surpasse. Financièrement, j'ai plutôt bien réussi, mais il a fait mieux que moi. C'est Austin qui gère aujourd'hui un des plus gros portefeuilles spécialisé en biotechnologie de tout le marché des hedge funds. Il possède des propriétés à Manhattan, à East Hampton et dans le Colorado. Il se déplace même en jet privé. Puis Nick se consola en songeant qu'il était beaucoup plus séduisant. Je le rattraperai, se dit-il. Mieux encore, je lui damerai le pion.

Quand on leur apporterait l'addition, peut-être laisserait-il Austin la régler.

Ils en étaient déjà à la moitié de la pièce de bœuf lorsqu'ils évoquèrent le coup de téléphone qu'ils avaient reçu de Jeff.

« J'ai eu l'impression que Jeff avait déjà pris sa décision, dit Nick d'un ton morose.

— Moi aussi.

— Je l'aime comme un frère mais je ne le comprends pas. Il bosse comme un malade sans que ça lui rapporte rien. Il vit dans ce minuscule appartement de Brooklyn. Pourquoi prendre un tel risque en sachant pertinemment que beaucoup de gens le soupçonnent d'avoir assassiné Amanda ?

— Il m'a demandé de lui promettre d'accepter de participer à l'émission si jamais j'étais contacté par la production, dit Austin.

— Tu crois qu'on devrait essayer de le dissuader ? »

Austin haussa les épaules. « Tu connais Jeff mieux que moi. Tu l'as dit toi-même, il avait l'air d'avoir pris sa décision. »

C'est vrai que je connais bien Jeff, se dit Nick. On est devenus très amis quand on s'est retrouvés dans la même chambre à Colby, la première année. On était tous les deux futés et sûrs de nous ; les filles nous adoraient. Mais ça s'arrêtait là. Jeff était studieux et posé, alors que je n'ai pas loupé une seule soirée bière en quatre ans. Une fois le diplôme en poche, nous avons suivi chacun notre voie. Jeff est devenu avocat commis d'office, et moi je suis allé à Wall Street pour me faire de l'argent. Après ses études de droit, Jeff est sorti avec la sublime Amanda, la fille qui faisait rêver tous les mecs du campus, y compris moi et ce pauvre Austin. J'ai bu un verre avec Amanda deux ou trois fois, mais ça n'a jamais rien donné. Nick réprima un sourire en repensant au jour où, à la fac, Austin lui avait annoncé qu'il avait l'intention d'inviter Amanda à sortir avec lui. « Inutile, mon pote, tu n'as aucune chance. »

122

Encore aujourd'hui, tout ce qui m'intéresse, c'est de conquérir les filles. Une fois que je les ai, je m'en désintéresse totalement.

Mais curieusement, malgré nos différences, nous sommes toujours restés amis, Jeff et moi.

Il regarda Austin. « Tu vas faire l'émission ?

— Bien sûr, si tu la fais. Franchement, est-ce qu'on a le choix ? S'il y a une leçon à tirer de l'expérience de Jeff, c'est que les soupçons se portent toujours sur ceux qui donnent l'impression de se protéger.

— C'est toi qui as conseillé à Jeff de prendre un avocat, rappela Nick à son ami.

— Je voulais l'aider. Il était tellement fou d'inquiétude pour Amanda qu'il ne se rendait même pas compte des insinuations des médias. Amanda venait d'une famille richissime et lui, c'était un prolétaire. Il était évident que la police le soupçonnerait, protesta Austin avec véhémence.

— Inutile de te mettre sur la défensive. »

Les intentions d'Austin étaient louables, se dit Nick. Mais il était tellement difficile à cerner, parfois. Ça avait toujours été le cas.

Beaucoup de gens avaient émis l'idée que Jeff était peut-être mêlé à la disparition d'Amanda, mais personne n'avait suggéré qu'un de ses deux camarades d'université pouvait être impliqué. Et Nick ne voulait pas que cela change.

« Tu sais que dans l'émission, dit Austin, on va nous poser des questions auxquelles Jeff ne tient pas à ce que l'on réponde.

— Tu parles de ce qu'il nous a dit le soir où il avait un peu forcé sur la bouteille ?

— On n'en a jamais rien dit à la police.

— Ils ne nous ont jamais posé la question, répliqua Nick d'un ton évasif. Ce n'est pas à nous de faire leur boulot. »

Quand il s'était avéré que des soupçons pesaient sur lui, Jeff avait suivi les conseils d'Austin et pris un avocat. Si Nick et Austin avaient décidé l'un et l'autre de ne pas mentir pour protéger Jeff, ils n'avaient pas l'intention pour autant d'en dire plus que ce qu'on leur demandait.

Il était probable que l'émission télévisée d'une chaîne nationale serait plus efficace que la police ne l'avait été cinq ans plus tôt. Pour avoir été interrogés eux-mêmes, ils savaient que l'enquête aurait pu être plus rigoureuse.

« S'ils nous posent directement la question, on leur dit la vérité ? demandait Austin.

— C'est à toi de voir. Je ne peux pas décider à ta place.

— Peut-être, mais il ne faut pas qu'on se contredise.

— Tu veux dire que tu es prêt à mentir pour Jeff si je te le demande ? dit Nick.

— On joue gros, Nick. Les investisseurs ne tiennent pas à être associés à des gens accusés d'avoir menti dans le cadre d'une enquête sur la disparition d'une femme. »

Nick mangea en silence, pesant le pour et le contre. « Ce n'est pas bien grave. Il y a beaucoup de gens qui hésitent quelques jours avant le mariage. C'est normal. Jeff avait vraiment l'intention de se marier. »

La veille de la disparition d'Amanda, Jeff avait avoué à Nick et Austin qu'il n'était pas certain qu'Amanda soit faite pour lui. Il n'avait rien ajouté et, lorsque Nick lui avait dit qu'il pouvait encore renoncer, Jeff s'était empressé de lui assurer qu'il avait simplement le « trac ».

« Donc, c'est entendu, dit Austin. On en parlera. »

Nick acquiesça d'un signe de tête. « Et je préviendrai Jeff que nous avons l'intention de dire la vérité. Puisqu'il veut nous entraîner dans cette histoire, il faut bien qu'on préserve notre réputation, nous aussi.

— C'est bizarre, tout de même, dit Austin, on va tous se retrouver ensemble, comme autrefois.

— Ça va être comme à la fac. On va draguer deux minettes au bar et les deux se jetteront sur moi !

— Ça va, c'est bon, annonça Austin. Tu règles l'addition.

— Au fait, tu savais que le Grand Victoria a ajouté un ponton l'année dernière ? Je vais réserver un bateau. J'ai deux clients à Boca Raton que je veux voir.

— Bonne idée. Je vais en réserver un aussi. On aura sûrement pas mal de temps libre là-bas. »

Quand il fit signe au serveur d'apporter l'addition, Nick ne vit pas le sourire qu'esquissait Austin.

24

Le lendemain après-midi, Laurie, Jerry et Grace avaient suffisamment progressé dans leurs recherches pour commencer à établir le planning de production. Jeff avait appelé le matin même pour confirmer que sa femme et lui acceptaient de participer à l'émission. Il avait également promis que ses deux amis Nick et Austin étaient prêts à coopérer et donné leurs coordonnées à Laurie. Et Brett l'avait fait venir dans son bureau. Comme d'habitude, il aurait voulu que l'émission soit bouclée pour l'avant-veille. « Quand pouvez-vous partir en Floride ? demanda-t-il.

— C'est pressé ? Je pensais à une diffusion en novembre, au moment de la publication des résultats d'audience. La dernière a été différée en vue des résultats de mai.

— Bien vu, mais une émission tous les six mois, ça ne suffit pas. Alors, quand pouvez-vous partir ? »

Laurie avait failli lui répondre : « Avant-hier. »

« On descendra d'ici une semaine, dit-elle. L'équipe de tournage peut y aller en éclaireur. Nous voulons filmer dans divers endroits de l'hôtel. À l'époque, les invités sont allés à la piscine, à la plage, ils ont pris un verre sur la terrasse. Ça nous servira d'arrière-plan. »

L'été n'était pas la meilleure saison en Floride, mais au moins, Timmy n'aurait pas encore repris l'école.

Alex lui avait dit qu'étant donné que les délais étaient raccourcis, il pouvait réaliser par téléphone les entretiens préliminaires, qu'elle surnommait ses questionnaires à l'eau de rose.

À présent, elle se trouvait avec Jerry et Grace dans son bureau, où ils s'apprêtaient à visionner les vidéos des caméras de surveillance prises au cours des trois jours qui avaient précédé la disparition d'Amanda.

« Commençons par reprendre la chronologie des faits, dit Laurie. D'après Sandra, les futurs mariés et leurs proches sont arrivés un mercredi en fin de matinée et sont allés directement à la plage avant de déjeuner dans la salle de restaurant qui se trouve en bord de mer. Walter et elle comptaient arriver le vendredi, pour assister au dîner traditionnel prévu la veille du mariage. Mais Amanda a été vue pour la dernière fois le jeudi soir. »

Laurie avait immédiatement contacté Nick Young et Austin Pratt, les camarades d'université de Jeff. D'après eux, Henry, le frère d'Amanda, avait quitté le restaurant juste après le dîner organisé pour l'enterrement de vie de garçon, le jeudi. Jeff et les autres étaient allés dans sa chambre prendre un dernier verre et ils y étaient restés une quarantaine de minutes. Ils estimaient avoir quitté la chambre de Jeff un peu avant onze heures.

Nick et Austin lui avaient assuré qu'ils étaient prêts à lui apporter toute leur aide pour l'émission si Jeff le souhaitait. Ils corroboraient l'un et l'autre la version que leur avait donnée Jeff de son emploi du temps la veille de la disparition d'Amanda. Ce qui était plus intéressant, en revanche, c'est que Nick et Austin s'accordaient à dire que lorsqu'ils étaient dans la chambre de Jeff, ce soir-là, ce dernier, qui avait un peu trop bu, leur avait déclaré qu'il n'était pas certain qu'Amanda soit faite pour lui. D'un autre côté, ils estimaient l'un comme l'autre que c'était une remarque anodine, typique d'un futur marié l'avant-veille du grand jour.

Au moins, se dit Laurie, Brett devrait être ravi à la perspective d'avoir deux riches célibataires dans l'émission. Son patron était persuadé que certains téléspectateurs ne regardaient que les programmes consacrés aux riches et à leurs problèmes.

« Alors, ils y sont tous ? » demanda Grace en regardant par-dessus l'épaule de Jerry. Tout autre que lui aurait été gêné par la présence à proximité de son oreille droite de la généreuse poitrine à peine couverte de son assistante, mais Jerry et Grace étaient comme frère et sœur.

Jerry avait ajouté Nick et Austin à la liste qu'il avait dressée sur son bloc-notes. Il lut les noms à voix haute pour s'assurer qu'ils étaient tous sur la même longueur d'onde. « Sandra, évidemment. Et j'ai parlé à son ex-mari, Walter. Lui aussi est partant, mais d'après moi, il pense que c'est peine perdue.

— Il t'a dit pourquoi ? demanda Laurie.

— J'ai l'impression qu'il veut continuer à croire que sa fille est en vie. »

Laurie hocha la tête. Elle avait beau faire toute confiance à Jerry, elle n'était pas encore prête à se fier aveuglément à son « impression », même si cette fois, elle n'était pas loin de partager son opinion.

Elle n'en revenait pas que la préparation de l'émission se déroule aussi facilement. Elle n'avait rencontré Sandra que quelques jours auparavant, et déjà ils s'étaient assurés de la coopération de tous les gens dont ils avaient besoin. Et jusque-là, ils pouvaient tous se libérer pour aller à Palm Beach.

« La vidéo est prête ? » demanda-t-elle à Jerry.

Le Grand Victoria avait envoyé un fichier compressé contenant toutes les vidéos prises par les caméras de surveillance durant le séjour des invités. Peu après que Jerry eut lancé la vidéo, Laurie vit une belle jeune femme en sandales et robe bain de soleil fleurie qui traversait d'un pas vif une tonnelle couverte de fleurs d'oranger.

« On repassera ça plus tard, dit Laurie. Regardons ce qui a été filmé dans le hall le jeudi soir. »

Jerry fit défiler la vidéo en accéléré jusqu'à ce qu'il tombe sur un groupe de trois femmes devant les ascenseurs de l'hôtel. Laurie était désormais capable de les identifier comme étant Amanda, Charlotte et

Meghan. Elle cliqua sur « Pause » avec la souris. La vidéo indiquait 22 : 55.

« Où est Kate ? » demanda-t-elle.

Sans surprise, Jerry connaissait la réponse : « Elle a dit à la police qu'elle était allée se coucher avant les filles. Les autres étaient encore célibataires et avaient l'habitude de se coucher tard. Mais Kate était déjà mariée, elle avait un enfant qui se réveillait la nuit et elle n'arrivait pas à suivre le rythme. »

Laurie écrivit quelque chose sur son bloc-notes et reprit la lecture de la vidéo. La séquence suivante était celle qui avait été repassée en boucle à la télévision plusieurs jours durant après la disparition d'Amanda.

Les trois jeunes femmes montaient dans l'ascenseur puis Amanda ressortait juste avant que les portes ne se referment. Elle ne portait plus sa robe bain de soleil. Elle s'était changée et avait mis une robe bleue et des sandales compensées. Laurie appuya de nouveau sur « Pause ». « C'est à ce moment-là qu'elle a déclaré avoir perdu quelque chose ? demanda-t-elle.

— Oui, répondit Jerry. Charlotte et Meghan ont été interrogées séparément et leurs témoignages concordent sur ce point. Ça lui a pris d'un coup, comme si elle venait d'y penser. "J'ai oublié quelque chose", ce sont ses mots exacts, d'après les deux autres. Sur le moment, elles ont cru qu'elle avait laissé un truc dans le bar où elles avaient bu un verre après le dîner, mais elle est partie si vite qu'elles n'ont pas eu le temps de lui demander.

130

— Mais au bar, personne ne se rappelle l'avoir vue revenir ? »

Jerry fit non de la tête. « Elle a purement et simplement disparu. Mais l'une des hypothèses, c'est qu'elle a prétendu avoir "oublié quelque chose" pour aller retrouver Jeff. Certains pensent qu'ils s'étaient disputés peu avant.

— Et qui penche pour cette hypothèse, au juste ? » demanda Laurie.

Grace prit une chemise cartonnée sur la table et la lui tendit. Laurie l'ouvrit et y trouva des copies d'articles du *Palm Beach Post*. Ils étaient tous signés Janice Carpenter. Tandis qu'elle les feuilletait, Grace lui expliqua de qui il s'agissait.

« Janice Carpenter est la journaliste du sud de la Floride qui s'est intéressée de plus près à la disparition d'Amanda. D'après ses dires, elle aurait reçu un renseignement anonyme l'informant que Jeff et Amanda se chamaillaient depuis leur arrivée à l'hôtel.

— Un seul ? »

Même lorsque les sources étaient authentifiées, les journalistes devaient avoir au moins deux témoignages avant de publier une information.

« Il y a peu de chances qu'elle ait un jour le Pulitzer, dit Grace. Elle fait plutôt dans le people. »

Ils passèrent les quatre heures suivantes autour de la table de réunion à regarder plus de vidéos que Laurie n'avait imaginé. Jerry avait fait en sorte que l'on puisse visualiser à l'écran quatre séquences simultanément. Laurie était impressionnée par le zèle dont avait fait preuve l'hôtel en conservant ainsi tout ce qui avait trait à l'affaire.

Elle prit son portable et se mit à répondre à des textos et des mails en regardant l'écran du coin de l'œil. Ils étaient en train de visionner des séquences filmées un peu plus tôt dans la soirée, avant le dîner. Il y avait toujours de l'animation dans l'hôtel. Il n'était encore rien arrivé à Amanda. Au moment où Laurie reposait son portable, elle remarqua quelque chose dans son champ de vision.

« Attends, s'écria-t-elle. Reviens en arrière. »

Jerry s'exécuta.

« C'est Amanda ! » s'écria-t-elle. Elle reconnaissait la robe bain de soleil. Amanda se trouvait dans la cour, où étaient rassemblées la plupart des boutiques de l'hôtel. Elle s'arrêtait quelques secondes devant une vitrine, admirant apparemment une tenue avant de s'éloigner.

« Ça remonte à plusieurs heures avant qu'on l'ait vue sortir de l'ascenseur pour la dernière fois, dit Jerry.

— Je sais, mais repasse la scène. »

Jerry revint quelques minutes en arrière puis reprit la lecture.

Cette fois, Laurie prit la souris, attendit et appuya sur « Pause ». « Vous voyez, juste là. » Elle indiqua une silhouette masculine puis repassa une fois de plus les dernières secondes.

L'homme venait de la droite de l'écran et se dirigeait vers la gauche. Il passait devant Amanda, qui s'était arrêtée devant la vitrine, tournant le dos à la caméra. Au moment où elle disparaissait à droite de l'écran, on voyait l'homme tourner à angle droit en s'écartant de la devanture. Juste avant qu'il ne sorte du champ de la caméra, il pivotait à nouveau, repassait devant la vitrine du magasin et continuait à marcher.

« Vous avez vu ? demanda Laurie. Il allait dans la même direction qu'Amanda.

— Il la suivait », dit Grace.

Ils regardèrent encore la scène. « À moins qu'il soit retourné dans sa chambre pour une raison ou pour une autre.

— Il porte quelque chose. » Laurie revint de nouveau en arrière, puis s'arrêta sur l'image au grain prononcé. « Tu peux zoomer ? »

Jerry essaya, mais l'image devint totalement floue. « On dirait un sac ou un truc comme ça », dit Grace. L'homme portait en bandoulière une sorte d'étui qui descendait au niveau de la hanche.

« Ça ressemble à un appareil photo », dit Jerry.

Laurie plissa les yeux. Jerry avait peut-être raison. Ça ressemblait à un étui d'appareil photo. « On dirait un appareil photo professionnel, dit-elle. Il y a cinq ans, les gens se servaient déjà de leur portable pour prendre des photos. On sait qui était le photographe du mariage ? » Elle repensa à son mariage avec Greg. Le photographe était venu pour le dîner de la veille. Elle imaginait bien la famille d'Amanda demander quelques clichés pris sur le vif des futurs mariés et de leurs proches durant les festivités précédant le mariage.

Jerry attrapa avec aisance un classeur posé sur la table et l'ouvrit à la page marquée par un intercalaire.

Son talent pour l'organisation était une des grandes qualités qui faisaient de lui un collaborateur clé de l'émission. « Le photographe s'appelle Bill Walker. Il a été interrogé par la police – comme tous ceux qui étaient liés de près ou de loin au mariage. » Jerry parcourut le rapport en diagonale, mais Laurie voyait qu'il en connaissait déjà le contenu. « Il était bel et bien sur place jeudi après-midi pour prendre des clichés sur le vif des invités, mais il affirme être parti à dix-sept heures car il était pris par un autre mariage ce soir-là. »

Le regard de Jerry se posa de nouveau sur l'image de l'homme qui semblait suivre Amanda. « Cette vidéo a été filmée à dix-sept heures trente-deux et, si l'on en croit Walker, à cette heure-là, il était déjà parti. »

Laurie regarda l'image figée sur l'écran. Il était difficile d'estimer la taille de l'homme, mais il ne semblait ni grand ni petit. Il était un peu enrobé, pas vraiment gros mais légèrement flasque.

« On a une photo de Walker ?

— Non, mais d'après ce rapport, il y a cinq ans, il avait cinquante ans. »

L'homme à l'écran faisait plus jeune, mais l'image était trop floue pour qu'ils en soient certains. Laurie regarda l'heure et s'aperçut qu'elle devait partir car elle avait rendez-vous avec Charlotte, la sœur d'Amanda.

« Je dois y aller. Il faudra penser à vérifier, pour Walker, dit-elle à Jerry. Au cas où. C'est probablement un touriste qui aime prendre de belles photos. D'un autre côté, ajouta-t-elle un instant plus tard, Amanda était d'une beauté sublime. Il est fort possible qu'elle ait attiré l'attention de quelqu'un qui s'est mis à la suivre.

— Un pervers, tu veux dire ? demanda Grace.

— Exactement. »

25

La salle d'attente de Ladyform était digne d'une maison de haute couture, avec ses sièges et ses canapés tapissés de velours aubergine et les photos en noir et blanc qui ornaient les murs. Sandra n'exagérait pas quand elle disait que l'entreprise familiale avait transformé son image de marque au cours des dernières années. Quand Laurie était petite, sa grand-mère portait des sous-vêtements « de maintien » Ladyform. Laurie était trop jeune pour comprendre à quoi servaient toutes ces agrafes et ces boucles, et pourquoi sa grand-mère passait autant de temps à se sangler dans ce harnachement, mais elle se souvenait qu'elle était terrifiée quand elle la voyait faire. Désormais, Ladyform était synonyme d'une féminité heureuse et épanouie, de femmes à l'aise dans un corps sain et naturel.

Une femme d'à peu près son âge ouvrit une des doubles portes menant dans le hall et l'accueillit avec un sourire. Elle était grande, plus d'un mètre soixante-quinze sans doute, et un peu forte. Elle avait des cheveux châtain clair mi-longs et ne semblait pas maquillée. Grâce aux recherches qu'ils avaient effectuées, Laurie reconnut Charlotte Pierce, la directrice du stylisme de Ladyform et, plus important dans les circonstances présentes, la sœur aînée d'Amanda.

« Que puis-je pour vous, madame Moran ? demanda Charlotte une fois qu'elles se furent installées dans son bureau. Vous avez décidé de vous charger d'enquêter sur ce qui est arrivé à ma sœur ? »

Laurie avait pris rendez-vous auprès de l'assistante de Charlotte, mais elle ne l'avait pas eue en personne au téléphone. « Je tiens à préciser que nous ne nous chargerions pas de l'affaire comme le ferait un avocat ou un détective privé, dans la mesure où nous ne serions pas engagés par votre famille. Mais nous envisageons sérieusement de consacrer notre prochaine émission à la disparition de votre sœur.

— Tant mieux. Comme je l'ai dit à ma mère, je suis prête à y participer si vous avez besoin de moi.

— Formidable. Elle me l'avait dit, mais nous vérifions toujours. J'ai apporté les documents à vous soumettre. »

Elle sortit le contrat de production de sa serviette et le fit glisser sur le bureau. Elle aurait pu le lui envoyer par mail, mais elle avait une bonne raison de vouloir lui remettre en main propre. Pendant que Charlotte lisait le contrat, Laurie fit semblant de parler de tout et de rien. « Il paraît que vous étiez demoiselle d'honneur.

— Humm ? fit-elle, occupée à lire. Ah oui, tout à fait. La mariée est plus ou moins obligée de demander à sa grande sœur, je pense.

— Mais vous étiez proches, non, Amanda et vous ? Vous n'étiez pas seulement des sœurs, mais aussi des collaboratrices.

— Parfois même trop, aurait-elle dit, sans doute. Ce n'est pas toujours facile de travailler avec des membres de sa famille. »

Laurie hocha la tête. C'était Austin Pratt et Nick Young qui avaient fait allusion à une certaine rivalité entre les sœurs Pierce, davantage du fait de Charlotte que d'Amanda. D'après eux, Charlotte était relativement indifférente au mariage de sa sœur. Elle était censée porter un toast au brunch du vendredi, mais elle avait demandé à Nick de s'en charger. Amanda n'était pas venue au brunch et il n'y avait pas eu de toast. En y repensant, Laurie se demanda si Charlotte savait déjà qu'Amanda ne viendrait pas.

« Votre mère m'a dit que c'est Amanda qui a suggéré de créer ce bureau à New York. L'entreprise est en pleine croissance, apparemment. »

La grimace de Charlotte ne lui échappa pas. « Oui, c'est Amanda qui a eu l'idée. J'ai réussi à maintenir l'entreprise sur la bonne voie en son absence, mais qui sait où on en serait si elle était encore là. » C'est à peine si elle essaya de dissimuler le sarcasme dans sa voix.

« Excusez-moi, je ne voulais pas dire par là que ce n'est pas grâce à vous, dit Laurie, même si ce n'était pas tout à fait vrai.

— Ne vous en faites pas. » Charlotte lui tendit le document signé. « Bien, c'est tout ?

— Qu'est-il arrivé à votre sœur, d'après vous ? » lui demanda brutalement Laurie.

Charlotte la regarda droit dans les yeux. « Je n'en ai aucune idée. Ma mère est persuadée qu'elle a été kidnappée et probablement assassinée. Mon père a l'air de croire qu'elle s'est enfuie pour refaire sa vie. Je fais des cauchemars où j'imagine les deux scénarios et toutes les variantes possibles. »

Elle parlait d'un ton presque détaché.

« Pourquoi aurait-elle souhaité une autre vie ? D'après ce qu'on m'a dit, elle avait tout pour elle : un travail passionnant, un fiancé qui l'aimait, une famille soudée. »

Charlotte déglutit et, l'espace d'un instant, elle sembla réellement attristée. « C'est vrai qu'Amanda avait tout pour elle, tout ce que la plupart des gens rêveraient d'avoir. Il y a des personnes qui ont tout mais qui aspirent tout de même à autre chose, vous voyez ce que je veux dire ? Un peu comme ceux qui ont l'impression de vivre dans le corps d'un autre. »

Laurie connaissait le scénario que décrivait Charlotte, mais elle ne voyait pas le rapport avec Amanda. « Qui aurait-elle aimé être ? »

Charlotte haussa les épaules. « Son cancer… vous êtes au courant ? »

Laurie hocha la tête.

« Parmi ceux qui en réchappent, il y en a qui apprécient davantage ce qu'ils ont. Amanda, non. J'ai

139

l'impression qu'elle s'est mise à douter de tous les choix qu'elle avait faits, d'avoir choisi la voie la plus facile, peut-être. Un poste dans l'entreprise de papa. Un gentil fiancé qui était à ses pieds. Elle n'avait que vingt-sept ans et son avenir semblait tracé.

— Elle vous a dit qu'elle avait envie de renoncer à se marier ?

— Non, mais j'ai eu le sentiment qu'elle cherchait des prétextes.

— Vous avez des exemples ? demanda Laurie.

— Elle m'a confié qu'elle craignait que Jeff ne l'ait demandée en mariage uniquement parce qu'elle était malade, par exemple. Et puis aussi qu'il était impatient d'avoir des enfants le plus vite possible, et pas elle. J'ai eu l'impression qu'elle ne voulait pas tout annuler elle-même mais espérait vaguement que Jeff le ferait à sa place.

— Vous aurait-elle tous laissés dans l'angoisse toutes ces années ? » demanda Laurie – il n'y avait rien de plus égoïste à ses yeux.

« Avant, non. Mais depuis son traitement contre le cancer, elle avait changé. Elle était plus froide. Moins patiente, plus exigeante.

— Plus dure ? » demanda Laurie – c'est ce que Jeff avait dit.

« Exactement. Mais même si j'aimerais pouvoir me dire qu'elle est quelque part et vit sa vie, je ne l'imagine pas infliger une telle souffrance à nos parents. Notre mère continue à porter ses badges à ruban jaune partout où elle va.

— Je lui ai longuement parlé. Elle a l'air de croire que Jeff a assassiné votre sœur pour pouvoir hériter du trust.

— En ce cas, pourquoi n'a-t-il pas touché l'héritage ?

— Peut-être préfère-t-il attendre qu'on retrouve le corps ?

— Je ne sais pas. Jeff est un type adorable. Il me fait plutôt de la peine.

— Qui d'autre pourrait avoir fait du mal à votre sœur, à votre avis ? »

Charlotte n'eut pas même une hésitation. « Meghan White ?

— Parce qu'elle voulait avoir Jeff pour elle ? » demanda Laurie.

Charlotte fit signe que non.

« Je crois que ça date d'après, ou peut-être que ça venait en prime. Si jamais c'est Meghan, c'est à cause de Ladyform. »

Laurie avait du mal à comprendre. « Je croyais que Meghan était déjà avocate, à l'époque. Elle travaillait pour l'entreprise familiale ?

— Non, mais elles ont eu une énorme dispute juste avant qu'on parte tous pour le mariage. Nous étions encore en pleine transition, ici, on essayait de convaincre papa qu'on pouvait être autre chose qu'une bonne vieille entreprise de culottes de grand-mère qui avait fait ses preuves. Amanda a lancé une ligne sport révolutionnaire appelée X-Dream : des vêtements de sport haut de gamme avec de la place pour mettre son portable, son iPod, tous ces gadgets qu'on n'a pas envie de tenir à la main pendant qu'on fait du sport. Jusque-là, ce qu'on trouvait de mieux, c'était une poche extérieure où le portable était ballotté dans tous les sens quand on courait.

— Je m'en souviens ! » s'exclama Laurie. Greg lui avait offert un maillot de sport juste avant sa mort. C'était son tee-shirt de jogging préféré, elle ne sentait même pas son iPod qui était inséré dans le tissu, bien protégé par une fermeture Éclair. « Quel est le rapport avec Meghan ?

— Quand elle a vu les vêtements en magasin, elle a débarqué ici en hurlant, accusant Amanda de lui avoir volé son idée. Elle criait si fort qu'on l'entendait à l'autre bout du couloir.

— Ça paraît bizarre, dit Laurie. Meghan est une avocate spécialisée en droit de l'immigration. Je ne vois pas ce qu'elle aurait pu faire d'un concept de vêtements de sport.

— Rien, évidemment, mais ça ne l'empêchait pas de vouloir une part du gâteau. La ligne X-Dream a été un succès phénoménal. Je peux vous montrer si vous voulez, les ventes ont grimpé en flèche : ça nous a littéralement rapporté des millions. Amanda était suffisamment inquiète pour demander à notre directeur juridique de se préparer à d'éventuelles poursuites.

— L'idée venait donc bel et bien de Meghan ?

— Si on peut appeler idée une simple discussion entre deux copines de fac qui en ont assez de voir leur

142

— Attention, Alex. Le stress est mauvais pour ta santé. Je vais dire à Ramon que tu as besoin de faire du yoga. »

Ramon était le majordome d'Alex. Alex avait eu beau s'évertuer à lui trouver un autre titre : assistant, intendant, secrétaire, Ramon avait fini par gagner. Il était majordome. Outre les courses et la cuisine, son employé à demeure s'occupait désormais de lui comme d'un fils. Quand il avait appris qu'Alex était à la limite de l'hypertension, il l'avait mis à un régime pauvre en sel et en viande rouge. Mais lorsque Ramon avait voulu l'inscrire à des séances de yoga hebdomadaires destinées à « réduire le stress », Alex avait dit stop.

« Ce n'est pas trop tôt », murmura Alex quand une porte s'ouvrit.

« Ma dactylo m'a dit que vous veniez au sujet du testament d'Amanda Pierce. » Mitchell Lands était petit, avec des cheveux gris rebelles et de grosses lunettes qui lui mangeaient le visage. Laurie était outrée que l'on puisse encore traiter son assistante de dactylo.

Alex s'empressa d'intervenir avant qu'elle n'ait eu le temps de provoquer une dispute. Après tout, c'est elle qui l'avait prévenu qu'ils étaient venus lui demander une faveur. « La famille d'Amanda nous a déjà fourni beaucoup d'informations, dit-il, mais nous avons tout de même besoin de votre aide. »

Ils avaient une copie du testament et du contrat de mariage entre Amanda et Jeff. D'après Alex, les termes du contrat étaient particulièrement peu généreux comparés à ce qui se pratiquait habituellement en la matière. À en croire Sandra, Walter Pierce avait insisté sur ces conditions pour s'assurer que Jeff ne puisse pas revendiquer un droit quelconque sur l'entreprise familiale.

Mais le testament était une tout autre histoire. Amanda léguait ses modestes biens personnels et ce qu'elle avait sur son compte courant et son compte épargne à l'unique nièce qu'elle avait à l'époque – la fille d'Henry, Sandy –, mais elle laissait la totalité de son trust à Jeff.

« N'avez-vous pas été étonné qu'elle lègue autant d'argent à son fiancé avant même qu'ils soient mariés ? » demanda Laurie.

Lands sourit. « Je vous aiderais volontiers. Amanda était une femme charmante. Mais en tant qu'avocat, je suis tenu au secret professionnel à l'égard de ma cliente.

— Naturellement », dit Laurie en s'apercevant qu'elle aurait sans doute dû laisser Alex interroger l'avocat. « Sans parler spécialement d'Amanda, n'est-ce pas inhabituel de voir une personne célibataire mettre son fiancé sur son testament ?

— Voilà une question bien formulée, dit Lands. Non, du moins lorsque les membres de la famille du testateur ont des biens considérables, que le couple s'apprête à se marier et qu'il n'a pas encore d'enfant.

J'ajouterai qu'il est extrêmement courant que les fiancés modifient leur testament pour compenser un contrat de mariage imposé par leurs parents. Les parents ont tendance à se préoccuper des contrats de mariage, mais ils n'imaginent pas que leur enfant puisse décéder avant eux. Puisque vous connaissez toutes les clauses du testament et du contrat de mariage d'Amanda, je ne vois pas ce que je peux ajouter.

— En fait, ce que nous aimerions savoir, c'est si Jeff connaissait les clauses du testament d'Amanda avant sa disparition ? »

Naturellement, Jeff connaissait les termes du contrat de mariage dans la mesure où il était une des parties intéressées et l'avait signé. Mais peut-être n'avait-il appris qu'à son retour à New York qu'Amanda avait également rédigé un testament qui le désignait comme principal légataire. S'il n'en avait pas connaissance, l'héritage ne pouvait pas constituer un mobile.

C'est Alex qui avait remarqué que le testament avait été signé le jour même où le couple avait établi le contrat de mariage. Il le fit remarquer à Lands.

« J'imagine qu'ils ont dû venir ici ensemble, dit-il. Si vous avez passé en revue les clauses du testament d'Amanda en présence de M. Hunter, le secret professionnel ne s'applique pas. C'est Amanda qui était votre cliente, et non Jeff.

— Très astucieux, dit Lands. En effet, c'est exactement ce qui s'est passé. Cela ne dérangeait absolument pas Amanda de parler de ces questions devant

Jeff. Je ne suis pas expert en ce domaine, mais ils avaient l'air très amoureux. Vous ne pensez tout de même pas qu'il l'a tuée ?

— Nous ne privilégions aucune hypothèse, répondit Laurie. Mais dans la mesure où vous conseillez les familles sur le plan juridique, vous comprendrez aisément que nous devons au moins considérer Jeff comme un suspect possible et que les clauses du testament d'Amanda peuvent avoir une grande importance. »

Lands sourit d'un air entendu. « Oh, je comprends parfaitement, mais je connaissais ma cliente. Je crois que vous négligez une autre possibilité. »

Il ne les quittait pas du regard, attendant qu'ils devinent son raisonnement. Il s'amusait visiblement de les voir aussi perplexes. « Quand Amanda a disparu, un grand nombre de médias l'ont surnommée la Mariée Envolée, ont dit qu'elle avait fait machine arrière, et ainsi de suite. J'imagine que votre émission partira du principe qu'après cinq ans sans nouvelles, il est peu probable qu'il s'agisse d'une disparition volontaire. »

Laurie acquiesça d'un signe de tête. « C'est une bonne hypothèse de départ. »

Il reprit son sourire entendu. « Ou pas. » Il les mit un peu plus sur la piste. « Peut-être que l'intérêt du testament n'est pas là où vous le pensez. »

Comme souvent lorsqu'il s'agissait de questions juridiques, Laurie se tourna automatiquement vers Alex. Mais cette fois, elle connaissait mieux que lui les personnalités qui étaient en jeu dans cette affaire. L'énigme n'était pas juridique, elle portait sur les motivations humaines.

« D'après Jeff et les Pierce, Amanda ne serait jamais partie sans laisser de traces. Mais si elle voulait refaire sa vie et estimait être redevable envers Jeff... »

Alex acheva sa pensée. « Mettre Jeff sur son testament puis disparaître était un moyen de lui donner une partie de la fortune de sa famille malgré le contrat de mariage que son père avait obligé Jeff à signer. »

Lands hocha la tête, satisfait d'avoir pu leur faire part de son opinion. « Je ne peux pas vous en dire plus sur mes échanges avec Amanda, j'ajouterai seulement que parfois, quand les gens ont été malades et ont failli mourir, ils prennent conscience que la vie est courte. Ils veulent profiter de chaque jour. Cela vaut peut-être la peine de briser le cœur des siens si on peut passer le reste de sa vie à l'autre bout du monde, libre comme l'air. »

27

À sept heures et demie, ce soir-là, Alex fut ravi d'entendre la clé tourner dans la serrure de la porte d'entrée. Son frère Andrew, qui était de passage à New York, avait réussi à leur ménager un peu de temps avant le dîner.

Il s'apprêtait à tirer la porte quand il sentit qu'on la poussait.

« Quel plaisir d'accueillir le plus beau des Buckley, lança Alex en riant.

— Le plus beau et le plus jeune ! » renchérit Andrew en serrant son frère dans ses bras.

Ramon l'avait déjà débarrassé de sa valise.

Alex était heureux de la vie qu'il menait et d'être aussi occupé par son travail, mais il ne se sentait jamais aussi bien que lorsque Andrew était là. Il avait en particulier acheté ce grand appartement sur Beekman Place – six pièces, plus celles réservées au personnel – pour que son frère cadet ait sa propre chambre et qu'il ait amplement la place d'inviter sa famille pour le week-end. Andrew étant avocat

Alex regretta d'avoir évoqué cette possibilité quand Andrew avait appelé la veille. « Je l'ai invitée, mais elle est sur une nouvelle affaire. Quand elle s'y met, c'est à fond. Elle s'immerge totalement. Elle ne voulait pas gâcher le dîner en ayant la tête ailleurs. »

Andrew hocha la tête. « Bien sûr, je comprends. »

En réalité, il était évident que son frère ne comprenait pas. Quand Laurie disait qu'elle ne voulait pas rencontrer Andrew tant qu'elle n'était pas sûre de pouvoir lui consacrer toute son attention, Alex la croyait sur parole. Mais il se rendait compte que c'était un obstacle de plus entre eux. « La prochaine fois, avec un peu de chance. »

Alex fut soulagé de voir Ramon apparaître avec une petite assiette d'amuse-gueules. Jusque-là, il n'avait pas mesuré à quel point il tenait à ce qu'Andrew rencontre Laurie. Il était sa seule véritable famille. Laurie en ferait-elle partie un jour, elle aussi ?

d'affaires à Washington, il était souvent amené à venir à New York.

S'il trouvait aussi naturel d'avoir son frère sous son toit, c'est que durant des années, ils avaient été seuls tous les deux. Leurs parents étaient morts à deux ans d'intervalle. À vingt et un ans à peine, Alex était devenu le tuteur légal d'Andrew. Il avait vendu la maison familiale d'Oyster Bay et ils s'étaient installés dans l'Upper East Side où ils avaient vécu ensemble jusqu'à ce qu'Andrew obtienne son diplôme de la Columbia Law School. Lors de la cérémonie de remise des diplômes, Alex avait eu l'impression d'applaudir plus fort encore que les parents des autres étudiants.

Alex alla préparer des cocktails au bar pendant que Ramon s'occupait du dîner dans la cuisine. En versant les doses de gin dans un shaker, il demanda à Andrew des nouvelles de Marcy et des enfants. Ils avaient à présent un fils de six ans et des jumelles de trois ans.

« J'adore retrouver New York, répondit Andrew, mais c'est de plus en plus difficile de les laisser, même quelques jours. Marcy me dit que j'ai de la chance de pouvoir faire un break, mais c'est fou ce qu'ils me manquent quand je suis ici. »

Alex sourit en essayant de se mettre à sa place. Il tendit à Andrew un Martini dry et ils trinquèrent.

« Alors, et toi ? lui lança Andrew. Je me disais que j'allais peut-être enfin faire la connaissance de Laurie, ce soir ? Elle n'a pas pu venir ? »

28

« Tu es sûr que tu ne veux pas que je t'aide, papa ? lança Laurie en direction de la cuisine.

— Ce soir, j'ai la chance d'avoir mon second avec moi », dit Leo en passant la tête par la porte.

Laurie sourit en le voyant coiffé de la toque qu'elle lui avait offerte avec Timmy l'année précédente, pour la fête des Pères.

La figure rayonnante de Timmy émergea un instant, barbouillée de sauce tomate, avant de redisparaître dans la cuisine.

Son père préparait pour le dîner ce qu'il appelait les « lasagnes de Leo ». Pour en avoir souvent mangé, elle savait qu'elles étaient à base de saucisse italienne, de mozzarella et de ricotta fraîche, mais cela n'expliquait pas qu'elles soient bien meilleures que toutes celles qu'elle avait eu l'occasion de goûter. Son père protégeait si jalousement sa recette que, par plaisanterie, il prétendait qu'il allait la mettre dans son testament.

« Je vais tirer les vers du nez à Timmy, dit-elle. Dis, c'est quoi déjà ce jeu vidéo que tu m'as demandé ?

— Raté, maman ! répondit Timmy de la cuisine. Avec moi, tes secrets seront bien gardés, grand-père.

— Je suis étonné que tu rentres de si bonne heure, dit Leo. Je pensais te laisser les restes pour demain. Alex m'a appris qu'Andrew était de passage. Je me disais que tu irais dîner avec eux. »

Lorsque Alex avait accepté de présenter *Suspicion*, Leo avait été le premier à se lier d'amitié avec lui en dehors de l'émission. Ils s'étaient encore rapprochés depuis que Laurie et Alex sortaient ensemble. Elle était ravie que son père lui donne sa bénédiction et qu'il ait quelqu'un avec qui parler sport, mais le fait qu'ils communiquent en dehors d'elle avait parfois des inconvénients.

« J'étais sur les dents, répondit-elle. J'avais encore quelques trucs à finir avant de pouvoir me détendre.

— En ce cas, vas-y, lui dit Leo. Chardonnay ou pinot noir ? »

Maintenant que son père et son fils étaient en pleine préparation du dîner et qu'elle avait un verre de vin à la main, elle se dit que c'était le bon moment pour se pencher de plus près sur certaines questions qui étaient apparues ce jour-là dans l'affaire Amanda. Elle repensa tout d'abord au témoignage de Charlotte affirmant que Meghan aurait accusé Amanda de lui avoir volé une idée valant plusieurs millions de dollars. Charlotte n'avait aucune raison d'avoir inventé cela, mais il semblait peu probable que Meghan ait pu tuer sa meilleure amie pour un différend d'ordre commercial. En outre, l'idée était toujours la propriété de Ladyform, qu'Amanda soit là ou non.

Mais si sa conversation avec Charlotte résonnait en elle, c'était également pour une autre raison : la description qu'elle faisait de la personnalité de sa sœur. Sandra avait décrit Amanda comme une jeune femme si comblée par la vie que c'en était presque difficile à croire. Elle n'avait même pas évoqué son cancer. Mais Charlotte dressait de sa sœur un portrait plus sombre, comme si les deux jeunes femmes étaient restées prisonnières des attentes de leurs parents. Laurie avait eu le même écho de la part de Mitchell Lands. Si l'avocat avait raison, peut-être Amanda avait-elle modifié son testament afin de pouvoir léguer de l'argent à Jeff une fois qu'elle aurait disparu. Elle chercha dans ses mails celui de Jerry répertoriant toutes les coordonnées des participants de l'émission. Elle composa un numéro sur son portable. Henry, le frère d'Amanda, décrocha au bout de deux sonneries.

Quelques instants plus tard, elle s'efforçait d'entendre Henry au milieu des pleurs d'enfant qui résonnaient en arrière-fond. « Je regrette, vous en savez probablement plus que moi sur Ladyform. On ne vous l'a peut-être pas dit, mais je suis un peu le mouton noir de la famille, lui dit-il. J'adore mon père, mais je n'avais aucune envie de passer le reste de ma vie à fabriquer des sous-vêtements, et encore moins à me battre avec mes sœurs pour en avoir le droit. Je suis parti sur la côte Ouest avec un copain de fac pour devenir producteur de vin biologique dans l'État de Washington. Nous préférons tous deux diriger notre propre entreprise, mais à part ça, je suis aussi différent de mon père que peut l'être un fils. Si Meghan a accusé Amanda de lui avoir volé une idée, je ne suis pas au courant. Et je ne peux pas vous dire ce qu'a fait Jeff ce soir-là, parce que je suis allé me coucher tôt. Tous les autres étaient là pour faire la fête, mais Holly et moi, on venait d'avoir notre premier enfant, Sandy. Tout ce que je voulais, moi, c'était dormir !

— Mais vous étiez au Grand Victoria avec les autres invités. Vous avez dû passer du temps avec Meghan et votre sœur.

— Oui, bien sûr. Je ne les ai pas entendues se chamailler une seule fois. Et si elles avaient parlé de la boîte, je crois que je me serais déconnecté, parce que franchement, c'est barbant. Je comprends que Charlotte dramatise une simple dispute au sujet de Ladyform mais, à mon avis, il n'y avait aucune animosité entre Meghan et Amanda. Si Meghan n'avait pas l'air inquiète, c'est qu'elle est comme ça. C'est peut-être parce qu'elle est avocate, je ne sais pas.

— Comment cela, pas inquiète ? » s'étonna Laurie.

Ils avaient reçu son accord signé pour participer à l'émission, mais bien qu'elles aient échangé des messages, Laurie n'avait pas encore parlé à Meghan.

« Elle est plutôt flegmatique, vous savez. Elle ne se laisse pas ébranler. Ça m'arrive d'être comme elle. Au début, par exemple, alors que Jeff courait dans tout l'hôtel à la recherche d'Amanda, je me disais qu'elle avait dû aller se baigner, quelque chose comme ça. Mais quand on s'est aperçus qu'elle n'avait pas dormi dans sa chambre, même moi, j'ai paniqué. Mais Meghan, non. Elle se comportait comme s'il n'y avait rien de spécial.

— Vous pensez qu'elle en savait plus qu'elle ne le prétendait ?

— Holà, vous êtes bien soupçonneuse ! Non, je vous l'ai dit, elle est comme ça, c'est tout. Chacun est comme il est. Alors, tout le monde a accepté de participer à l'émission ?

— Oui, tous ceux à qui nous avons demandé.

— Kate Fulton ?

— Elle aussi. Dois-je lui poser une question en particulier ? Vous l'avez dit, je me méfie de tout le monde.

— Bien vu. Non, je me demandais, seulement. Je ne suis pas resté en contact avec les amis d'Amanda. Écoutez, je ne sais pas ce qui est arrivé à ma sœur, et elle me manque encore terriblement, mais je préfère être honnête avec vous : je ne crois pas que l'émission puisse apporter du nouveau.

— Et pourquoi donc ?

— Parce que, même si c'est pénible à dire, le plus probable, à mon avis, c'est qu'elle est allée prendre un bain de minuit ou faire un tour et qu'elle a croisé en chemin un individu malintentionné – le type d'individu qui ne se fait jamais prendre. Quant à moi, je ne suis pas pressé de retourner là-bas. »

29

Laurie essayait d'imaginer la meilleure amie d'Amanda gardant son calme au milieu de l'affolement général. Henry avait peut-être raison. Les gens ne réagissaient pas tous de la même façon. À moins que Meghan ait été dans le déni, refusant de croire qu'il était arrivé quelque chose à sa meilleure amie.

Elle regarda l'heure. Il n'était que dix-neuf heures trente, elle pouvait encore téléphoner à Atlanta. Elle reprit son téléphone et appela Kate Fulton.

Laurie se présenta et demanda à Kate si elle avait un moment pour vérifier quelques informations de base. Kate lui confirma qu'elle était bien femme au foyer à Atlanta, mère de quatre enfants, et qu'elle avait épousé son petit ami du lycée, Bill. Laurie était rassurée de voir que la biographie de Kate recoupait les éléments qu'ils avaient réunis jusque-là. Ils avaient effectué le travail préliminaire si rapidement qu'elle craignait d'avoir négligé des aspects importants. Sans compter que plusieurs des participants vivaient aux quatre coins du pays et qu'elle était obligée d'interroger certaines personnes par téléphone.

« Qu'avez-vous éprouvé quand vous vous êtes rendu compte qu'Amanda avait disparu ? demanda Laurie.

— J'étais terrifiée. Je ne sais même pas comment l'expliquer. C'est comme si le temps s'était arrêté, le trou noir. Je savais au fond de moi qu'il était arrivé un malheur. Je ne pouvais pas m'empêcher de pleurer. Avec le recul, je me dis que pour la famille d'Amanda, les pauvres, ça n'a pu qu'aggraver les choses.

— Et Meghan ? A-t-elle eu la même réaction que vous ?

— Oh non, Meghan ? C'est tout le contraire. Quand il y a une mauvaise nouvelle, elle réagit en essayant de trouver une solution. À l'université, on l'appelait Miss Je Gère. C'est une organisatrice, une cérébrale, mais lorsque Amanda a disparu, même elle n'y pouvait rien. Elle ne savait pas quoi faire, mais non, elle n'est pas du genre à pleurer.

— Vous n'avez pas été étonnée qu'elle se mette en couple avec Jeff ? »

Kate marqua un silence. « Bien sûr, nous avons tous été surpris. Je ne savais même pas qu'ils sortaient ensemble. Meghan m'a appelée après le mariage – ou ce qu'elle appelle leur *non-mariage*. C'était juste un échange de consentements au tribunal.

— Peut-être sortaient-ils déjà ensemble avant la disparition d'Amanda, qu'en pensez-vous ? »

Cette fois, Kate n'eut aucune hésitation. « Impossible. Jeff était fou amoureux d'Amanda. Meghan avait déjà essayé d'attirer son attention, mais il n'y avait pas eu de déclic entre eux. Je crois qu'en fait c'est leur amour pour Amanda qui les a réunis par la suite. »

Laurie entendit son père dire à Timmy de prendre garde à ne pas se brûler avec le four et résista à la tentation d'aller surveiller ce qui se passait en cuisine. « Comment cela, attirer son attention ?

— Ils étaient sortis deux fois ensemble. Meghan avait toujours eu un faible pour Jeff, même à l'université. Si vous l'avez rencontré, vous avez vu qu'il est très séduisant, et tous les deux s'intéressent au droit des plus défavorisés. Ils sont faits l'un pour l'autre, mais allez savoir pourquoi, au départ, ça n'a pas marché entre eux. Je crois que Meghan était assez déçue.

— Meghan a donc joué les entremetteuses pour Amanda ? C'était très aimable de sa part.

— Pas vraiment. Jeff est tombé sur Meghan dans le quartier, et Amanda se trouvait là par hasard. »

Voilà qui était intéressant. Laurie avait cru comprendre que Meghan avait présenté Amanda à Jeff à dessein. Elle s'apprêtait à lui demander d'autres précisions, mais Kate revint à la disparition d'Amanda. « Meghan voulait croire à tout prix, plus que n'importe qui peut-être, à part M. Pierce, qu'Amanda était partie d'elle-même. Je me suis toujours dit que c'était sa façon à elle de surmonter son chagrin. »

Laurie secoua la tête, exaspérée. Elle ne cernait toujours pas la personnalité de Meghan. Après avoir rencontré Jeff avec Alex, elle avait appelé Meghan à deux reprises pour essayer de fixer un rendez-vous, mais chaque fois, elle était tombée sur sa messagerie. Meghan s'était contentée de lui répondre par mail, en disant qu'elle était très occupée par son travail mais qu'elle espérait avoir « le plaisir » de s'entretenir « bientôt » avec elle.

« C'est ce qui nous pose problème de notre côté, dit Laurie. Il nous paraît bien plus probable qu'il soit arrivé quelque chose à Amanda. Comment peut-on vouloir disparaître pendant tant années ?

— Ça n'a pas de sens. En tout cas, Amanda en aurait été incapable. Mais à cette époque-là, il n'était pas question d'années. Et on essayait tous de se convaincre qu'il y avait une explication. C'était la veille du mariage et Amanda avait des doutes.

— Ah oui ? »

Charlotte lui avait confié que sa sœur lui donnait l'impression de se poser des questions, mais c'était la première fois que quelqu'un affirmait avoir entendu Amanda exprimer ses hésitations.

« Enfin, des doutes, c'est un bien un grand mot. Mais quand on était en tête à tête, elle me demandait si j'étais heureuse. Si je n'aurais pas préféré rencontrer Bill un peu plus tard dans ma vie. Si j'avais suffisamment vécu avant de me caser. Mais je n'aurais pas été aussi paniquée par sa disparition si j'avais imaginé une seule seconde qu'elle allait vraiment renoncer à se marier. Je ne peux pas me résoudre à le dire à Sandra, mais je suis convaincue que mon amie est morte. Je suis sûre qu'elle n'aurait jamais pu infliger une telle souffrance à sa famille.

— Comment pouvez-vous en être aussi certaine ?

— À l'époque où on était à Colby, une fille a disparu, elle s'appelait Carly Romano. Ils ont mis près de deux semaines à retrouver son corps dans le lac Messalonskee. D'ailleurs, ça illustre bien à quel point Meghan et Amanda étaient différentes. On ne connaissait pas vraiment Carly, mais à l'université, tout le monde était bouleversé. Amanda a organisé des séances de prière et des veillées aux chandelles. Alors que Meghan a participé à la coordination des équipes de recherche sur le campus et distribué les lampes de poche et les sifflets. Amanda était dans l'empathie. Meghan, elle, était pragmatique. Toujours est-il qu'un soir, Amanda m'a raconté qu'elle avait failli craquer quand elle avait rencontré les parents de Carly. Elle m'a dit qu'elle espérait presque qu'on retrouverait son corps car elle n'imaginait rien de pire pour des parents que de ne pas savoir. »

Durant cinq ans, le meurtre de Greg était resté une énigme et Laurie avait cru vivre un enfer. Elle ne pouvait même pas imaginer ce qu'elle aurait éprouvé s'il n'était tout simplement pas rentré un soir. Comment pouvait-on continuer à vivre ?

30

Leo n'avait pas autorisé Laurie à mettre les pieds dans la cuisine pendant qu'il préparait le dîner, mais il était visiblement ravi qu'elle l'aide à tout nettoyer. Timmy était exempté de corvée car il avait secondé son grand-père aux fourneaux et s'exerçait avec la trompette que Leo lui avait offerte un mois auparavant. C'était un élève enthousiaste, mais Laurie avait hâte que ses leçons hebdomadaires donnent quelque chose.

Pendant qu'il transférait les lasagnes qui restaient dans un Tupperware, elle souleva délicatement les couches du bout de la spatule. « Du provolone ? demanda-t-elle.

— Non.

— Du gouda ? »

Son père fit signe que non. « Je ne te le dirai pas.

— Tu peux au moins me dire si c'est un produit laitier ?

— Non, ce n'en est pas. »

Son père ne lui en avait jamais dit autant.

« Des épinards ?

— Écoute, je sais bien que tu n'y connais pas grand-chose en cuisine, mais s'il y avait des épinards dans ton assiette, j'ose espérer que tu t'en apercevrais. Et tu te doutes qu'avec mon petit-fils, il n'y a aucune chance que je puisse en mettre en douce. »

D'une manière générale, Timmy n'était pas difficile à table, mais il avait décidé dès la maternelle que le « machin de Popeye » n'était pas pour lui. Il disait que ça lui faisait les dents « toutes beurk ».

« Je suis tellement submergée qu'on n'a pas eu le temps de parler de l'affaire Amanda, toi et moi. Je n'arrête pas de penser à elle.

— La première fois que tu m'en as parlé, elle m'a paru idéale pour ton émission, répondit Leo en mettant le lave-vaisselle en marche.

— Si je m'y suis intéressée au départ, c'est que je savais qu'elle attirerait les téléspectateurs. Mais plus j'en apprends sur Amanda, plus je la trouve passionnante. Ce n'était pas seulement une de ces jolies héritières de grande famille qui font un mariage de conte de fées. Elle avait une personnalité complexe, elle se cherchait encore. Elle était très jeune et pourtant, elle avait déjà survécu à une grave maladie. Dans ce que j'ai appris sur elle, il y a des choses qui me font penser à moi, des choses que j'aurais pu faire, comme d'organiser des veillées de prières pour une étudiante disparue à l'université. Mais elle était loin d'être parfaite pour autant. »

Laurie continua à parler de l'affaire en nettoyant les plans de travail. Quand elle eut mis son père au courant des derniers développements, elle jeta un œil à la cuisine. « Bon, je crois qu'on a presque fini, ici. »

Elle se tourna vers Leo. « C'est particulièrement dur de la part d'Amanda d'avoir fait pression sur Meghan qui l'accusait de lui avoir volé son idée et de la forcer à se rétracter. Mais tu crois que ça peut avoir un rapport avec sa disparition ? »

Avant même que Leo n'ait eu le temps de répondre, le portable de Laurie vibra.

« Pas de repos pour les braves », observa Leo.

Le numéro qui s'affichait à l'écran ne lui disait rien, mais Laurie reconnut l'indicatif de Palm Beach.

Lorsqu'elle répondit, un homme lui dit qu'il espérait ne pas appeler à une heure trop tardive. « J'ai eu votre assistant au téléphone tout à l'heure, Jerry. Il m'a dit de vous appeler si quelque chose me revenait au sujet d'Amanda.

— Et vous êtes… ?

— Oh, excusez-moi. Je suis Bill Walker. C'est moi qui devais faire les photos de mariage d'Amanda Pierce et Jeff Hunter.

— Oui, bien sûr, monsieur Walker. Jerry m'a mise au courant de la conversation que vous avez eue tout à l'heure avec lui. »

Le photographe avait confirmé qu'il n'était pas l'homme filmé par les caméras de surveillance de l'hôtel, celui qui semblait porter un appareil photo et avoir fait demi-tour pour suivre Amanda. Walker affirmait qu'à cette heure-là, il avait quitté l'hôtel pour se rendre chez un autre client. De plus, Jerry avait appris qu'il était très mince et faisait un mètre quatre-vingt-treize. L'homme de la vidéo était légèrement enrobé et de taille moyenne.

« Après avoir raccroché, je n'ai pas arrêté de repenser à ces quelques jours. C'est difficile de retrouver ses souvenirs si longtemps après, mais étant donné ce qui s'est passé, les faits sont restés gravés dans ma mémoire. J'ai déjà eu des mariages annulés à la dernière minute, mais jamais parce que la mariée avait disparu. J'ai vraiment été bouleversé.

— Si vous pouviez nous apporter votre aide, monsieur Walker, nous vous en serions très reconnaissants. Jerry a dû vous expliquer que nous essayons d'identifier un homme filmé par le système de surveillance de l'hôtel.

— En effet, et c'est ce qui m'a fait réfléchir. J'étais à un autre mariage, le soir où Amanda a disparu, aussi, je ne pensais pas pouvoir aider la police en quoi que ce soit. Mais au téléphone, Jerry m'a dit que la vidéo qui vous intéressait avait été filmée plus tôt, à dix-sept heures trente.

— Tout à fait.

— Je me suis souvenu tout d'un coup que j'avais un stagiaire, à l'époque. Jeremy Carroll. Il était autodidacte, mais plutôt bon. Il était vraiment doué pour prendre des photos sur le vif, c'est pour ça que je l'avais engagé. Parfois, les assistants photo peuvent être plus encombrants qu'autre chose. Quoi qu'il en soit, dans la journée, il était avec moi au Grand

Victoria. On a passé deux heures à prendre des clichés des futurs mariés et de leurs proches. Il avait un appareil sur lui et était à peu près de la même taille et de la même corpulence que l'homme de la vidéo décrit par Jerry. »

Laurie ne se rappelait pas avoir vu le nom du stagiaire sur les rapports de police. « Vous savez si Jeremy a été interrogé par la police ?

— Ça m'étonnerait. Je vous l'ai dit, je pensais qu'il était parti en même temps que moi, à dix-sept heures. Mais je me rends compte que rien n'est moins sûr. En fait, deux mois plus tard, j'ai fini par me séparer de lui. Il mettait certains clients mal à l'aise. »

Laurie eut soudain l'esprit en alerte. « Comment cela ?

— Son comportement en société. D'après eux, il dépassait les bornes. Quand on photographie des mariages et ce type d'événements privés, il est tentant de croire que l'on fait partie du cercle des intimes. Mais ce n'est pas le cas. Quoi qu'il en soit, je n'avais plus vraiment repensé à lui jusqu'à ce que votre assistant m'appelle aujourd'hui. Maintenant que j'y songe, peut-être a-t-il décidé de rester sur place. Ça vaut ce que ça vaut, mais j'ai préféré vous en parler. »

Laurie trouva un bloc-notes et écrivit le nom du stagiaire. Walker n'avait pas ses coordonnées, mais il lui dit qu'à l'époque où il travaillait pour lui, Carroll devait avoir à peu près vingt-cinq ans. Laurie remercia longuement Walker avant de le quitter.

« J'ai cru comprendre qu'il y avait du nouveau », dit Leo.

Elle lui résuma sa conversation avec Walker. « Si Jeremy Carroll est bien l'homme de la vidéo, il faut que je lui parle. On dirait vraiment qu'il a fait demi-tour pour suivre Amanda. Mais je n'ai qu'un nom relativement courant et un âge approximatif.

— Tu as bien plus que ça. Tu as un père qui n'a pas oublié les ficelles du métier. »

Leo arracha la feuille du bloc-notes sur le plan de travail et Laurie comprit que le commissaire Farley était sur le coup.

31

Le lendemain matin, Laurie venait à peine d'arriver au bureau que son téléphone sonna. À coup sûr, c'était Brett. C'est fou, se dit-elle, quand il appelle, même la sonnerie est grincheuse.

Elle décrocha en croisant les doigts. C'était bel et bien Brett. Comme toujours, il se dispensa de salutations.

« Je suis furieux, Laurie », vitupéra-t-il. De toute évidence, la journée commençait bien. « Pouvez-vous m'expliquer comment il se fait qu'un petit journaleux du fin fond de Palm Beach m'appelle pour m'interroger sur notre intention de tourner les séquences de la Mariée Envolée au Grand Victoria ? Cela devait rester confidentiel.

— Nous avons été aussi discrets que possible. Mais nous avons dû contacter le directeur de l'hôtel, le responsable de la sécurité et d'autres membres du personnel. Quelqu'un a dû laisser filtrer l'information.

— Je me fiche de savoir qui a vendu la mèche. Le problème, c'est que votre dossier soi-disant classé revient sur le devant de la scène. Ne lésinez pas sur le budget. »

Venant de sa part, c'est une première, se dit Laurie.

« Expédiez-moi votre équipe là-bas, et pour avanthier. Je ne tiens pas à ce que *60 Minutes* nous prenne de vitesse et sorte une émission sur la Mariée Envolée. »

Le déclic du combiné lui signala que la conversation était terminée.

32

Avant-hier se révéla être six jours plus tard.

Six jours. Avant, Laurie passait des semaines entières à enquêter de A à Z sur une affaire avant de commencer à tourner. Mais voilà qu'ils étaient au Grand Victoria, à quelques heures à peine du début du tournage. Pire encore, ces six jours avaient été entièrement consacrés à la coordination de la logistique. Laurie avait l'impression qu'il lui manquait un mois pour creuser les faits, mais l'accélération du calendrier ne lui laissait pas d'autre choix que d'avancer à marche forcée.

Une fois sous le passage couvert qui menait à l'entrée de l'hôtel, elle sentit son stress s'estomper peu à peu. L'espace d'un instant, elle crut être revenue des années en arrière. Elle revit Greg qui lui tendait la main. *À notre anniversaire, Laurie.* À l'époque, elle était persuadée qu'ils en avaient encore cinquante devant eux, si ce n'est plus.

« Maman ! » Timmy se précipitait déjà vers la piscine. « C'est génial, ici ! » L'unique avantage de cette ridicule accélération des délais, c'est que Timmy était encore en vacances et que Leo en avait profité pour l'emmener. Le temps était humide et il faisait plus de trente degrés, mais tant qu'il y avait des palmiers et une piscine pour barboter avec d'autres enfants, Timmy était prêt à y rester toute l'année.

L'hôtel était encore plus beau que dans son souvenir – il était moderne mais inspiré des villas de la Renaissance italienne. Un homme en costume de popeline beige s'avança vers elle.

« Vous êtes bien Mme Laurie Moran ? Je suis Irwin Robbins, le directeur de l'hôtel. »

Il lui serra chaleureusement la main et elle le remercia de l'aide qu'il lui avait déjà apportée. Robbins n'avait pas parlé à la légère lorsqu'il avait assuré que l'hôtel s'efforcerait de leur faciliter la tâche. Ils avaient proposé d'héberger à titre gracieux les parents d'Amanda et les proches des futurs mariés et accordé une remise généreuse à l'équipe de production.

« Et qui est ce jeune homme ? demanda Irwin en indiquant Timmy. Votre enquêteur numéro un ?

— Surtout, ne dites rien, je suis un agent infiltré, lança Timmy. J'ai besoin d'une piscine pour mon enquête. »

Deux heures plus tard, Grace faisait le tour de la gigantesque suite d'Alex, bouche bée. « Cette chambre est aussi grande que toutes les nôtres réunies. »

Pour une fois, Grace n'exagérait pas. La suite d'Alex ressemblait davantage à un grand appartement, avec un salon immense. Il avait généreusement suggéré d'en faire une salle de réunion pour l'équipe.

Il était quatre heures de l'après-midi et l'équipe se retrouvait pour une dernière réunion avant la première séance de tournage ce soir-là – un cocktail organisé pour les amis et les proches des futurs mariés, Jeff et les parents d'Amanda, dans la salle de bal où la réception de mariage aurait dû avoir lieu.

« La réceptionniste a dû vous surclasser en voyant vos beaux yeux », lança Grace à Alex.

Alex se mit à rire. Il avait l'habitude que Grace flirte avec lui, et Laurie savait que c'était loin de lui déplaire.

« Tu as rencontré les copains d'université de Jeff ? demanda-t-il à Laurie.

— Pas en personne, mais je les ai eus au téléphone. D'après Sandra, ce sont tous les deux de riches célibataires.

— Le plus grand, Nick, est canon, intervint Grace. Mais l'autre ? Austin ? Il a de la chance d'être plein aux as. Et Jeff, je ne vous dis pas… » Elle fit mine de s'éventer. « Il a l'air adorable et innocent comme tout, et il ne se rend pas compte qu'il est sublime. Des trois, c'est le meilleur parti.

— Dois-je te rappeler que c'est peut-être un assassin ? » lui dit Jerry.

Timmy déboula de la terrasse où il admirait la vue sur la mer. « Tu as apporté un maillot de bain, Alex ? Il y a un parc aquatique avec un toboggan qui fait trois étages de haut ! »

Laurie prit son fils dans ses bras. « On a du travail, Alex et moi. C'est grand-père qui va t'y emmener. Et tu sais quoi, Jerry serait ravi de t'y accompagner. Si je peux me passer de lui quelques heures, il fera peut-être la course avec toi sur le toboggan.

— On ne fait pas la course sur un toboggan géant, maman, la reprit Timmy comme si elle avait suggéré que les Yankees étaient une équipe de football. Il n'y a la place que pour un. Et tu n'as même pas laissé Alex se prononcer. De toute façon, si Jerry peut sécher une partie de la journée, je ne vois pas pourquoi Alex ne pourrait pas ?

— Parce qu'il est très occupé, intervint Leo en prenant les choses en main. Allez, viens mon grand. On va descendre à la piscine. On a juste le temps de se baigner avant le dîner. »

Dès que Leo et Timmy furent sortis, Laurie se mit au travail. La préparation du tournage s'était faite dans une telle urgence qu'elle s'attendait à tout moment à une catastrophe. « Tu as vérifié que tout le monde était là, Jerry ?

— Sans exception, répondit Jerry avec entrain. On a aussi fait des repérages dans la salle de bal avec l'équipe de tournage. L'hôtel l'a décorée dans le même esprit que ce qu'Amanda et Jeff avaient prévu pour la réception, mais en plus simple. La salle est absolument magnifique. Il y a des fleurs blanches et des bougies partout. Lorsqu'ils vont voir ça et se retrouver tous ensemble, ça devrait faire son effet. »

Une fois qu'ils eurent passé en revue les participants et les différents points qu'ils voulaient aborder dans chaque interview, Laurie se leva et rangea son carnet dans son sac, signe que la réunion était terminée.

« Et quel rôle je suis censé jouer, ce soir ? » lui demanda Alex en souriant. Ce soir-là, il n'y aurait pas d'entretien avec les participants, son point fort dans l'émission.

« Montre-toi aussi charmant que tu sais l'être. »

L'idéal, c'était que les participants soient suffisamment à l'aise avec Alex pour baisser leur garde une fois devant les caméras. À défaut de pouvoir mener des entretiens préliminaires, il fallait qu'il trouve un moyen de les mettre en confiance.

« Et n'oubliez pas le smoking, lui rappela Grace avec un clin d'œil, en quittant la suite avec Jerry.

— Désolée pour mon assistante, elle est littéralement obsédée par les garçons », lui dit Laurie une fois qu'ils furent seuls. « Si ça continue, je vais devoir appeler les ressources humaines pour lui imposer un cours de rattrapage sur le harcèlement sexuel. »

Alex s'avança vers elle et la prit dans ses bras. « Tu crois réellement que nous sommes en position de nous plaindre des idylles susceptibles de naître au sein de ton équipe de réalisation ? »

Elle leva les yeux vers lui tandis qu'il se penchait pour l'embrasser. « Non, cher maître, probablement pas. »

Laurie trouva son père et son fils à la piscine « active », le plus familial des quatre bassins qui bordaient le front de mer. Timmy s'accrochait à une bouée tirée par un enfant un peu plus jeune. Son fils avait le don de se faire tout de suite des amis. Greg était aussi sociable que lui. Timmy lui ressemblait tellement.

Leo était installé sur une chaise longue au bord du bassin, un œil sur son petit-fils, l'autre plongé dans le dernier thriller d'Harlan Coben. Des années auparavant, il avait donné sa carte de visite à l'écrivain lors d'une séance d'autographes en lui proposant de répondre à toutes les questions liées à la police qu'il était susceptible de se poser. Laurie n'avait jamais vu son père aussi surexcité que le jour où il avait vu son nom dans les remerciements du livre suivant de son auteur préféré.

Laurie s'allongea confortablement sur la chaise voisine. « Je prends la relève, si tu veux, histoire que tu puisses garder les yeux sur ton livre un moment.

— Timmy est facile à surveiller, maintenant. C'est plutôt lui qui m'empêcherait de me noyer que l'inverse. Au fait, j'ai rappelé la police locale au sujet du photographe stagiaire, Jeremy Carroll.

— Ça a donné quelque chose ? demanda-t-elle.

— Peut-être. Il y a un Jeremy Carroll qui a trente et un ans et réside ici depuis longtemps et, d'après son permis de conduire, sa taille et sa corpulence concordent avec la description. Il n'a pas de casier judiciaire, hormis une condamnation pour outrage à la cour à la suite d'une violation de décision de justice. J'ai appelé le greffier pour avoir une copie du dossier. Je te dirai ce qui en ressort.

— Merci papa. Je devrais demander à Brett de te rémunérer.

— Je ne voudrais pas me retrouver sous les ordres de Brett pour tout l'or du monde. Au fait, tu ne devrais pas aller te pomponner pour la grande soirée de retrouvailles ?

— Tu me connais. Quand je me pomponne, ça se résume à un coup de brosse et un peu de gloss. »

Laurie se savait séduisante, mais elle était mal à l'aise sous les couches de maquillage et de laque. Ses cheveux blond miel étaient simplement coupés en carré mi-long et elle ne mettait qu'un peu de mascara pour souligner ses yeux noisette.

« Et puis je me suis offert une nouvelle robe habillée, elle était dix fois trop chère mais elle me donne de l'allure.

— Tu es belle comme tu es, dit Leo. Je sais bien que tu es stressée par la cadence absurde que Brett t'impose, mais essaie de t'amuser un peu. Vous serez sur votre trente et un, Alex et toi. Si tu veux en profiter pour prolonger la soirée avec lui, après la réception, je me ferai un plaisir de m'occuper de

Timmy. Sait-on jamais ? Peut-être que cette histoire de mariage manqué va vous inspirer. »

Laurie fut abasourdie par ce que son père lui suggérait. « Mais enfin, papa, on est loin d'en être là. Surtout, ne va pas mettre ce genre d'idées dans la tête de Timmy. Ni d'Alex, d'ailleurs.

— Bon, bon, je plaisantais. Ne t'en fais pas.

— Tant mieux. J'ai eu peur. »

Son père la regardait, son livre posé sur la table voisine.

« Écoute, quand je dis qu'il y a du mariage dans l'air, je plaisante, mais il y a une chose que je tiens à te dire. Je vois bien que tu gardes une certaine distance avec Alex. La plupart du temps, avec lui, tu es un peu guindée. Tu ramènes systématiquement la conversation sur le terrain professionnel. Et quand Timmy a demandé s'il pouvait venir avec lui au parc aquatique, tu as refusé avant même qu'Alex puisse répondre.

— Qu'est-ce que tu essaies de me dire, papa ?

— Je vais être franc. J'ai l'impression que tu ne veux pas te montrer telle que tu es.

— Alex a amplement l'occasion de me voir comme je suis, mais on ne va pas tout lâcher pour fuguer comme deux jeunes tourtereaux. On avance à notre rythme.

— Bien, je sais que tu es une adulte et que ce n'est pas à ton père de t'expliquer comment mener ta vie. Mais permets-moi de te dire une chose, si tu ne le sais pas déjà. Je sais combien tu aimais Greg. On l'aimait tous. » Sa voix se brisa un instant. « Vous avez connu cinq ans de bonheur, mais ce n'est pas pour autant que tu dois rester seule jusqu'à la fin de tes jours. Greg aurait été le premier à ne pas le souhaiter.

— Je ne me sens pas seule, papa. J'ai toi et Timmy, et puis aussi Grace et Jerry, et c'est vrai qu'il y a Alex. Je sais bien que tu as hâte que je fasse le grand saut, mais crois-moi, ça se passe très bien entre nous. »

Il ouvrit la bouche mais elle l'interrompit aussitôt :

« Est-ce que je te demande pourquoi je ne t'ai jamais vu en compagnie d'une femme depuis le décès de maman ? Il y a de charmantes veuves, à la paroisse, je peux te les présenter. Elles ne se gênent pas pour me demander de tes nouvelles. »

Il sourit tristement. « Là, tu m'as eu.

— Ne t'inquiète pas pour moi, papa. Je sais qu'Alex tient à moi. Si ça doit se faire, ça se fera naturellement. Il ne faut pas trop réfléchir. »

Ses paroles résonnaient encore dans sa tête quand elle regagna sa chambre.

Avec Greg, elle n'avait pas eu le temps de réfléchir. Elle l'avait connu lorsqu'elle s'était fait renverser par un taxi sur Park Avenue. Ils avaient pour habitude de dire en plaisantant qu'ils étaient le seul couple à avoir deux versions différentes de leur première rencontre. Lorsque Greg l'avait connue, elle était inconsciente. Quand Laurie l'avait vu pour la première fois, il lui braquait une lampe-stylo dans les yeux pour voir si elle clignait enfin des paupières. Trois mois plus tard, ils étaient fiancés. *Si ça doit se faire, ça se fera naturellement.* Quand Laurie avait dit cela à son père, elle pensait à Greg, et non à Alex.

33

Jerry lui avait assuré que la salle de bal était magnifiquement décorée, mais les mots ne suffisaient pas à en décrire la beauté. On se serait cru dans un conte de fées. La pièce était ornée d'une profusion de roses et de lys, et de minuscules lumières blanches scintillaient au plafond, pareilles aux étoiles, la nuit, dans la campagne. Grace portait une robe bleu cobalt étonnamment chaste et, dans son smoking ajusté, Jerry avait beaucoup d'allure.

« Vous êtes très chic, tous les deux, leur dit Laurie. Chapeau. Ça va faire de belles images pour la première séquence de l'émission. »

Elle jeta un coup d'œil à l'équipe de tournage. Le chef opérateur lui fit signe qu'il était prêt. Ils n'enregistreraient pas les voix, mais voulaient saisir l'instant où les participants se verraient pour la première fois dans la salle. Puis, en voix *off*, Alex raconterait la scène et présenterait les différents protagonistes.

Sandra et ses enfants, Henry et Charlotte, furent les premiers à arriver à la réception. Sandra, qui était vêtue d'un élégant tailleur-pantalon en soie, s'était tout de même arrangée pour fixer à son revers un badge à l'effigie d'Amanda orné du ruban jaune. Laurie serra dans ses bras Sandra et Charlotte, puis se présenta à Henry, le frère d'Amanda.

« Oh, Amanda aurait adoré. » Sandra essuya une larme. « C'est exactement ce qu'elle souhaitait. »

Charlotte passa un bras autour de l'épaule de sa mère. « Si je me souviens bien, c'est plutôt ce que tu souhaitais, toi.

— C'est vrai, j'adore organiser des fêtes. Et c'était une telle joie de préparer cette réception… Je voulais vraiment que tout soit parfait.

— Mais je suis sûr que ç'aurait été parfait, maman », la réconforta Henry.

Il tripota son nœud papillon. Il était plutôt bel homme, mais, avec ses cheveux bruns ébouriffés et sa barbe de plusieurs jours, il n'était visiblement pas à son aise en tenue de soirée.

Charlotte donna discrètement un coup de coude à sa mère. « Jeff vient d'arriver. »

Sandra jeta un regard puis détourna aussitôt la tête. « En compagnie de Meghan, évidemment », son ton était lourd de reproche. « Je sais bien que j'ai tenu à ce que cette émission se fasse, Laurie, mais maintenant que nous y sommes, je n'ai pas la moindre idée de ce que je dois faire. Je crois sincèrement qu'il est responsable de la disparition d'Amanda, et peut-être même que Meghan aussi. Je voulais qu'ils viennent tous les deux, mais je ne pensais pas que ce serait si dur de me trouver dans la même pièce. »

Laurie lui posa doucement la main sur le bras. « Restez naturelle, Sandra. Vous n'êtes même pas obligée de leur parler si vous ne le souhaitez pas. » L'intérêt de la téléréalité, c'était de faire en sorte que les caméras saisissent les réactions des gens dans toute leur spontanéité.

« Incroyable ! s'exclama Charlotte. Kate est sublime. Elle n'a pas pris une ride. »

Laurie se retourna et aperçut une femme qui serrait dans ses bras Jeff et Meghan. Elle était un peu plus petite que Laurie, moins d'un mètre soixante-cinq sans doute, avec des cheveux très blonds coupés en un carré court et des joues rondes, toutes roses. Sur les anciennes photos d'université qu'avait vues Laurie, Kate avait un physique ingrat comparée à ses deux amies. Mais de toute évidence, elle s'était efforcée de se montrer à son avantage pour l'occasion.

« Elle est venue en famille ? demanda Henry.

— Sa mère s'occupe des enfants, répondit Sandra. Il y a mieux pour passer des vacances en famille qu'une émission basée sur un crime. »

Sauf pour moi, se dit Laurie, amusée. Elle s'excusa pour se rapprocher du groupe des anciens de l'université de Colby et s'arrêta à proximité pour écouter ce qu'ils disaient. Elle entendit Jeff confier à Kate et Meghan que c'était « surréaliste » de voir la réception de mariage que lui et Amanda avaient prévue ainsi reconstituée.

« C'est tout le contraire de la nôtre, dit Meghan. Nous, notre truc, c'était plutôt margarita et grillades à emporter. »

Laurie était incapable de dire s'il y avait de l'amertume dans la voix de Meghan. Et si Kate nourrissait le moindre soupçon à l'égard de Jeff et Meghan ou si elle désapprouvait leur mariage, elle n'en montrait rien. À les voir, ils donnaient l'impression de trois vieux amis heureux de se retrouver.

« Excusez-moi de vous interrompre, dit Laurie, mais je voudrais me présenter. » Meghan n'avait pas trouvé le temps de la rappeler et elle n'avait eu Kate qu'au téléphone. Kate et Jeff lui confièrent qu'ils espéraient bien que la diffusion de l'émission serait l'occasion de découvrir de nouveaux éléments dans la disparition d'Amanda, tandis que Meghan, elle, restait en retrait.

Kate se tourna soudain vers l'entrée. « Regardez-moi ça. Nick n'a pas changé, mais visez un peu notre petit Austin, il a bien grandi. »

Kate se pencha vers Laurie pour lui raconter les dessous de l'histoire. « Nick a toujours été un Don Juan, même à la fac. Austin était son meilleur copain, mais il était dans son ombre. Avec les femmes, c'était une vraie catastrophe, il en faisait des tonnes.

— Je ne sais pas ce qu'il en est de son succès sur le marché de la séduction, mais pour le reste, je doute qu'il soit encore dans son ombre. Ils sont venus tous les deux dans le jet privé d'Austin. »

Les deux hommes se dirigeaient droit sur leurs anciens camarades d'université.

« Eh bien dis donc ! s'exclama Kate quand Austin fut à portée de voix. Tu es venu en jet privé, à ce qu'il paraît. Notre bon vieil Austin. Qui aurait cru ça de toi ?

— Attention, Kate, la taquina Austin. Je peux sûrement dénicher de vieilles photos de fins de soirées trop arrosées. »

Visiblement, c'étaient des amis qui étaient habitués à se chambrer gentiment.

Laurie remarqua que Nick donnait un léger coup de coude à Austin. « Attention, lui glissa-t-il, on a de la concurrence, ça va être dur de séduire les femmes au bar, ce soir. »

Elle se retourna et vit Alex entrer dans la salle de bal. Elle en eut le souffle coupé. Il avait déjà le teint légèrement hâlé et son smoking lui allait à la perfection. Laurie regarda aussitôt sa robe en se félicitant d'avoir fait cette folie, mais regretta de ne pas s'être maquillée davantage.

« Tu es ravissante, comme toujours, lui dit Alex en s'avançant vers elle.

— Et toi, tu es l'incarnation même du dandy. »

Elle fut émue de le sentir si près d'elle.

185

Le dernier à arriver fut Walter Pierce, le patriarche de la famille. Contrairement à son ex-femme, il alla directement voir Jeff et lui serra la main chaleureusement. Il adressa même ses félicitations au jeune couple et leur exprima tous ses vœux de bonheur.

En étudiant les différents protagonistes, Laurie ne put s'empêcher de remarquer que la dynamique avait changé depuis que Walter avait fait son entrée. Après avoir salué l'ancien fiancé d'Amanda et ses amis, il alla directement retrouver sa famille et passa le reste de la soirée avec eux. Entre Sandra et ses enfants, les échanges paraissaient moins naturels. Toute la famille Pierce semblait désormais focalisée sur Walter. Avait-il fait bon voyage ? Sa chambre lui plaisait-elle ? Voulait-il boire autre chose ? Malgré tout ce qui s'était passé, il restait le chef de famille.

Quel enfant n'est pas sensible à ce que son père pense de lui ? se demanda-t-elle. Aucun.

Dix minutes plus tard, elle alla voir le chef opérateur.

« J'ai demandé aux amis et aux proches d'Amanda de se rassembler pour la photo de groupe, lui dit-elle. On finira là-dessus. »

Lorsqu'ils posèrent devant l'objectif, il était évident que ce n'était pas une photo de mariage traditionnelle. La politesse de façade avait disparu. Jeff enlaçait Meghan d'un bras protecteur. Sandra avait les larmes aux yeux. Personne n'esquissa même un sourire.

Se peut-il qu'un des proches d'Amanda l'ait détestée au point de la supprimer ? se demanda Laurie. À moins qu'elle n'ait été assassinée par l'homme repéré sur la vidéo floue des caméras de surveillance ou un autre inconnu, il était probable que le tueur figurait parmi les personnes qui fixaient l'objectif.

Mais laquelle ?

34

À dix heures, le lendemain matin, les caméras étaient prêtes à filmer dans la chambre 217 du Grand Victoria. Jerry l'avait choisie pour l'interview de Sandra et Walter Pierce. Il avait appris que c'était la suite qu'ils occupaient au Palm Beach lors du mariage manqué de leur fille.

D'après le planning que Laurie avait établi avec Alex, Sandra devait être la première à s'exprimer devant les caméras. C'était elle qui apparaissait régulièrement à la télévision pour supplier les gens de les aider à retrouver Amanda.

Visiblement anxieuse, les mains serrées, Sandra prit place sur le petit canapé disposé en face du fauteuil d'Alex. Elle était vêtue d'un chemisier en lin turquoise et d'un pantalon blanc. C'était la tenue qu'elle portait lorsqu'elle avait découvert que sa fille avait disparu. Elle avait confié à Laurie qu'elle n'avait jamais pu s'en défaire.

Elle respira à fond et fit signe à Laurie qu'elle était prête.

Alex lui demanda de parler de l'instant où elle avait compris que sa fille avait disparu.

« Dès que je suis entrée dans le hall, j'ai eu un pressentiment. En voyant Jeff, Meghan et Kate à la réception, je me suis dit qu'il était arrivé quelque chose. Et puis Jeff m'a annoncé qu'Amanda avait disparu et le sol s'est dérobé sous moi. Les autres étaient inquiets, eux aussi, mais ils étaient persuadés qu'on finirait bien par trouver une explication. Moi pas. Je savais qu'il était arrivé un malheur.

— Y a-t-il eu un moment où vous avez eu l'impression que vos craintes se confirmaient ? » demanda Alex.

Elle fit non de la tête. « C'est peut-être le pire, quand on ne sait pas ce qui s'est passé. J'étais amorphe, hébétée, abasourdie. Mais le moment où j'ai vraiment réalisé qu'Amanda avait disparu, c'est quand la police nous a demandé de leur confier des vêtements qu'elle avait portés pour les remettre à la brigade canine. L'idée que des chiens puissent renifler l'odeur de ma petite fille... » Sa phrase resta en suspens.

« Au début des recherches, dit Alex, un grand nombre de journalistes ont surnommé votre fille la Mariée Envolée... »

Sandra secoua la tête avec mépris avant même qu'il achève sa phrase. « C'était horrible. Il y avait des humoristes qui se demandaient combien de temps elle allait mettre avant de réapparaître, ivre morte, dans une boîte de nuit de Miami. Ma fille n'est pas

189

une écervelée qui a décidé de faire un caprice le jour de son mariage. Elle est solide et intelligente.

— Je vois que vous parlez d'elle au présent, dit Alex.

— J'essaie, oui. C'est ma façon à moi de me dire que je n'arrêterai jamais de me battre pour elle. Elle est quelque part – Amanda Pierce est quelque part, vivante ou non, et elle veut qu'on la retrouve. J'en suis absolument certaine, pour moi c'est une évidence. »

Alex regarda Laurie, en quête de remarques éventuelles de sa part, mais elle n'avait rien à ajouter.

« Sandra, reprit-il, si vous n'y voyez pas d'inconvénient, nous avons demandé au père d'Amanda de se joindre à nous. »

Moins d'une minute plus tard, Walter entra dans la pièce, visiblement mal à l'aise, et s'installa sur le canapé à côté de Sandra. Laurie remarqua qu'il avait choisi de s'asseoir tout près de son ex-femme alors qu'il y avait largement la place d'être assis confortablement à deux. Celle-ci lui donna une tape affectueuse sur le genou.

« Walter, de nombreux téléspectateurs auront reconnu Sandra, commença Alex. Au départ, vous étiez également devant les caméras. Mais au bout de trois mois, d'après ce que je peux en juger, il semblerait que ce soit essentiellement Sandra qui ait mené le combat pour tenter de retrouver votre fille. Êtes-vous convaincu comme elle qu'il lui est arrivé malheur la nuit où elle a disparu ? »

Walter baissa les yeux puis regarda Sandra. « Je n'ai jamais été convaincu que d'une chose : l'amour que j'ai pour Amanda et le reste de ma famille. Je crois Sandra quand elle dit qu'elle est en communion avec Amanda comme seule une mère peut l'être. Qu'elle sait au fond d'elle-même qu'Amanda a croisé le chemin d'un meurtrier. Je ne prétends pas avoir ce type de sixième sens, mais elles ont toujours été très fusionnelles. À l'époque où il n'y avait pas encore de babyphones, quand Amanda se réveillait au milieu de la nuit, toi aussi. Tu te souviens ? »

Sandra hocha la tête. « Oui, répondit-elle doucement.

— D'après tous les témoignages, continua Alex, j'ai cru comprendre qu'Amanda était déjà un atout considérable pour Ladyform, l'entreprise familiale.

— Absolument, acquiesça Walter avec fierté.

— Certains se sont demandé si la perspective de devoir reprendre le flambeau après vous n'était pas pesante pour la jeune génération des Pierce. Amanda n'avait que vingt-sept ans et sa carrière était déjà toute tracée. De plus, elle s'apprêtait à se marier. Est-il possible que la pression ait été trop forte ? Pensez-vous qu'Amanda s'est simplement enfuie pour refaire sa vie ?

— En ce qui concerne ce qui est arrivé à Amanda, j'en suis réduit aux mêmes conjectures que les téléspectateurs. Mais je tiens à dire une chose, au cas où ma fille serait en vie. Reviens, ma chérie. Ou téléphone au moins à ta mère pour lui dire que tu vas bien. Et si jamais quelqu'un détient Amanda, je vous en supplie, rendez-la-nous, nous sommes prêts à faire n'importe quoi, à payer n'importe quelle rançon pour la retrouver. »

Walter était au bord des larmes et Laurie voyait bien qu'Alex regrettait de devoir passer à la question suivante. Il ne lui restait plus qu'à espérer que tout cela en vaille la peine.

« Excusez-moi d'aborder ce sujet, dit Alex, mais dans la mesure où notre émission est consacrée aux crimes et à leur impact sur l'entourage, il est important de signaler qu'après trente-deux ans de mariage, vous avez divorcé il y a un peu plus de deux ans. La disparition d'Amanda a-t-elle brisé votre couple ? »

Walter se tourna vers Sandra. « Tu veux répondre ? lui demanda-t-il avec un sourire crispé.

— Nous n'aurions jamais imaginé faire partie des couples divorcés, Walter et moi. Ça nous paraissait absurde. On nous demandait quel était le secret d'un mariage qui durait et Walter répondait toujours : "Fidèles au poste !" Mais c'est vrai que la disparition d'Amanda nous a changés, autant sur le plan personnel que sur celui de notre couple. Nos chemins se sont séparés. Walter voulait… ou plutôt il avait besoin de retrouver une vie normale. Il avait son entreprise à diriger et nous avions deux autres enfants, sans compter nos petites-filles pour qui la vie devait continuer. De mon côté, j'ai beau essayer de tourner la page, pour Henry et Charlotte, je m'aperçois que je suis paralysée. Tant que je n'aurai pas retrouvé Amanda, je serai dans les limbes. Cela a mis notre couple à rude épreuve.

— Walter, dit Alex à mi-voix, vous souhaitez ajouter quelque chose ?

— Quand on a la chance d'atteindre un âge aussi avancé que nous, il est inévitable d'avoir des regrets. Mon plus grand est d'avoir donné cette impression à Sandra. Mais en réalité, je n'ai jamais retrouvé une vie normale et je n'ai pas tourné la page. Moi aussi, je suis encore dans les limbes, Sandra, mais seul. » Il regarda son ex-femme. « Ce que tu n'as jamais compris, c'est que de nous deux, c'était toi la plus forte. Je ne pouvais pas t'accompagner dans tes recherches parce que je n'en avais pas la force. Et je ne supportais pas l'idée qu'Amanda m'en veuille au point d'abandonner toute la famille. Alors je me suis retranché dans le travail en prétendant qu'il fallait passer à autre chose. Mais je ne me dérobe plus. Je suis ici avec toi, Henry et Charlotte. Et je suis prêt à affronter la vérité, quelle qu'elle soit. »

Laurie fit signe au cameraman d'arrêter de filmer et de se faire oublier. Elle se détourna en voyant Walter essuyer une larme sur son visage. Les Pierce avaient droit à un semblant d'intimité. C'était une minute de silence pour Amanda.

35

Lorsque Laurie regagna sa chambre, elle trouva son père en train de regarder les informations sur une chaîne câblée, installé dans le canapé. Il coupa le son avec la télécommande et elle se débarrassa de ses chaussures pour s'asseoir à côté de lui.

« C'était dur », soupira-t-elle.

Laurie et Leo avaient des chambres communicantes, avec chacune deux lits. Par la porte ouverte, elle apercevait Timmy qui jouait à la Wii dans la chambre de son grand-père.

Après avoir vu Sandra et Walter exprimer leur douleur, déchirés par la disparition de leur fille, elle mesurait une fois de plus la chance qui était la sienne de pouvoir toujours compter sur son père pour les soutenir, elle et son fils.

Leo lui passa un bras autour des épaules. « Ça n'a pas dû être facile, je sais, mais j'ai de bonnes nouvelles pour toi, je crois. Ta dernière piste, tu sais, ce type filmé par les caméras de surveillance, elle a peut-être donné quelque chose et c'est plutôt intéressant. »

Leo se leva et alla vers le bureau placé dans un coin de la pièce.

« Tu te souviens, je t'ai dit que le stagiaire du photographe n'avait été condamné qu'une seule fois ? demanda-t-il.

— Oui, une histoire de violation d'une décision de justice, c'est ça ? Qu'est-ce qu'il a fait ? Il ne s'est pas présenté pour régler une contravention ?

— Non, c'est nettement plus passionnant. » L'air grave, Leo lui tendit une chemise cartonnée. « Commence par le premier document. C'est la décision en question. »

Le document était intitulé *Ordonnance de protection*. Elle faisait suite à une requête déposée par Patricia Ann Munson et Lucas Munson, les requérants, contre Jeremy Carroll, le défendeur. Dans le premier paragraphe, le tribunal concluait que Carroll avait causé aux requérants une « atteinte ou un préjudice psychologiques considérables » en les harcelant à plusieurs reprises « sans raison légitime ». L'ordonnance interdisait à Carroll de s'approcher à moins de cent soixante mètres des Munson, d'entrer volontairement en contact ou de communiquer avec eux de quelque manière que ce soit.

« C'est une ordonnance de non-harcèlement », dit Laurie en continuant à feuilleter le document. « Pourquoi cent soixante mètres ? C'est curieux comme chiffre.

— Les Munson étaient ses voisins. Ça doit correspondre à la distance entre chez lui et chez eux. Le tribunal ne peut pas le forcer à déménager. »

Le document suivant était une déclaration sous serment de Lucas Munson certifiant l'exactitude des allégations sur lesquelles était fondée la requête.

« Holà, fit Laurie, ce type m'a tout l'air d'un cinglé. Pas étonnant que des clients de Bill Walker se soient plaints qu'il dépassait les bornes. »

Elle parcourut les pièces du dossier. Les Munson, qui avaient la soixantaine, expliquaient que, dans un premier temps, ils avaient apprécié la prévenance de Carroll, avec qui ils entretenaient des rapports de bon voisinage. Il les aidait à rentrer leurs provisions et, depuis peu, leur rapportait même des légumes frais du marché qui se tenait le week-end. Jusqu'au jour où ils avaient remarqué que ses rideaux bougeaient quand ils tondaient la pelouse ou prenaient un verre sur leur terrasse en fin de journée. À deux reprises, Lucas avait été convaincu d'avoir aperçu un objectif d'appareil photo entre les rideaux.

Quand Lucas avait demandé à Jeremy s'il les photographiait, celui-ci était allé chercher un album plein de photos qu'il lui avait montré dans la galerie. Patricia taillant ses rosiers. Lucas allumant le barbecue dans son jardin. Eux deux regardant la télévision sur le canapé que l'on voyait par la fenêtre du salon. Sidéré, Lucas était reparti, ne sachant quoi dire. Apparemment, Jeremy avait pris cette absence de réaction pour un assentiment et s'était alors mis à

196

déposer tous les samedis dans leur galerie des photos d'eux les représentant à des moments où ils croyaient être dans l'intimité.

La goutte d'eau qui avait fait déborder le vase et avait incité les Munson à déposer leur requête, c'était le jour où Jeremy s'était mis en tête de les appeler papa et maman. Lorsque, s'armant de courage, Lucas lui avait demandé pourquoi, Jeremy s'était contenté de lui donner pour seule explication : « Je n'ai plus de contact avec mes parents biologiques. »

Quand elle eut fini de lire le dossier, Leo tendit à Laurie une copie d'un tout autre type de photo – une photo d'identité judiciaire. L'homme tenait un panneau où était écrit *Jeremy Carroll*, suivi de sa date de naissance et celle de son arrestation, cinq mois auparavant. Laurie vit au tableau gradué placé derrière lui que Jeremy faisait un mètre soixante-dix-huit. Il avait des cheveux bruns clairsemés, le teint pâle, le visage joufflu et les épaules voûtées.

« Ça pourrait bien être l'homme que j'ai vu faire demi-tour pour suivre Amanda sur la vidéo », lança-t-elle d'une voix surexcitée. « Je vois qu'il a été condamné pour violation de la décision de justice.

— La violation était relativement mineure. Il a laissé une photo encadrée d'une spatule rosée dans leur boîte aux lettres, accompagnée d'un mot où il s'excusait pour ce qu'il appelait un "malentendu".

— Une spatule rosée ? Qu'est-ce que c'est ?

— Un oiseau. Ça ressemble vaguement à un pélican. C'est plutôt mignon.

197

— Je préfère ne pas te demander comment tu sais ça.

— Timmy a cherché sur Google.

— Tu n'as même pas idée de ce que j'imaginais, d'ailleurs il ne vaut mieux pas. Une photo d'oiseau ? Ça n'a rien d'effrayant.

— Si tu la prends séparément, non. C'est tout l'intérêt des ordonnances de protection. L'important, c'est le contexte. Les Munson ont vraiment été terrifiés. Le juge n'a montré aucune indulgence envers Jeremy. Il l'a reconnu coupable d'outrage à la cour et condamné à deux ans avec sursis avec une extension de la mesure de restriction. Il l'a prévenu que s'il ne la respectait pas, cette fois il le ferait coffrer.

— Si ce Jeremy pensait s'être trouvé des parents de substitution en la personne de ses voisins, quel type de relation imaginait-il avec une fille aussi sublime qu'Amanda ? »

36

Laurie était tellement plongée dans sa conversation avec Leo qu'elle faillit être en retard pour la séance de tournage suivante. Ils devaient interviewer le frère d'Amanda, Henry, à l'autre bout du complexe hôtelier, au bord de la mer.

Le temps qu'elle y arrive, les caméras étaient déjà installées et une maquilleuse ajoutait une dernière touche de poudre sur les joues d'Henry qui avait pris un coup de soleil.

La veille au soir, Laurie avait eu l'impression qu'Henry n'aimait pas se mettre sur son trente et un. Visiblement, elle avait vu juste. Ce jour-là, il était en pantalon beige et chemise à manches courtes, et ce n'était plus le même homme.

« Désolée d'être en retard », chuchota-t-elle à Jerry qui fixait un micro sans fil au col de la chemise d'Henry.

« Je savais que tu serais là à temps. Comme toujours. »

Henry s'agita sur son siège pour s'installer plus confortablement. « Vous croyez vraiment que cette émission peut nous aider à découvrir ce qui est arrivé à Amanda ?

— Je ne vous garantis rien, dit Laurie, mais le fait est que les deux précédentes ont été payantes. »

Alex avait également opté pour une tenue plus décontractée. Laurie nota intérieurement que son polo émeraude mettait en valeur ses yeux bleu-vert.

« Tout va bien ? » lui demanda-t-il.

D'habitude, Laurie était la première à arriver sur le plateau. « Tout va bien. Désolée de te demander ça à la dernière seconde, mais tu peux interroger Henry sur le photographe de mariage et son stagiaire, Jeremy Carroll ? Je t'expliquerai plus tard. »

« Henry », dit Alex dès que la caméra tourna, « pourriez-vous nous parler de la dernière fois où vous avez vu votre sœur ?

— C'était vers cinq heures du soir, le jeudi. Tous ensemble, Amanda, Jeff, les amis et les proches, nous avons retrouvé le photographe pour une série de photos à l'extérieur de l'hôtel. Après, nous avons tous regagné nos chambres pour nous reposer un peu et nous habiller pour le dîner.

— Vous avez rejoint Jeff et ses camarades d'université, Nick et Austin, vers vingt heures, c'est bien ça ?

— C'est exact. Je trouvais un peu ridicule de faire les enterrements de vie de garçon et de jeune fille séparément, mais j'ai suivi le mouvement. Sachant

200

qu'il y avait Nick et Austin, je craignais d'avoir droit à des danseuses légèrement vêtues, ce genre de truc, mais Jeff avait exigé que la soirée reste convenable.

— Pourtant, vous êtes tout de même allé vous coucher tôt. »

Henry hocha la tête. « On venait d'avoir un bébé et ma femme n'était pas venue. Pour moi, ces quelques jours étaient surtout l'occasion de pouvoir enfin passer des nuits tranquilles. Et puis je me sentais de trop au milieu des autres. Ils étaient tous les trois copains, mais moi, je ne connaissais que Jeff. Si j'étais là, c'était uniquement parce que j'étais le frère d'Amanda.

— Vous avez parlé du photographe, dit Alex. Il s'agit de Bill Walker ? »

Henry haussa les épaules. « Je ne me rappelle plus son nom, mais il était immense. Encore plus grand que vous, il me semble.

— Vous vous souvenez du stagiaire qui l'accompagnait ? Un certain Jeremy Carroll. »

Laurie sourit. Alex avait le don de paraître spontané.

Henry plissa les yeux, puis son visage s'éclaira soudain. « Ah oui, ce type. Je m'en souviens. C'est lui qui a eu l'idée de nous faire poser alignés au bord de la piscine comme si on s'apprêtait à plonger. L'autre photographe, le grand, a offert la photo à mes parents, après. C'était ma préférée.

— Combien de temps votre groupe a-t-il passé avec les photographes ?

— Une quarantaine de minutes.

— Et après cela, les avez-vous revus à l'hôtel ?

— Non, mais je suis surtout resté dans ma chambre jusqu'au moment de retrouver les autres dans le hall, un peu avant vingt heures. On a pris le minibus pour aller au Steak & Claw, le restaurant qui est en bordure du golf. Je suis parti au moment où ils commandaient les digestifs. J'ai regagné ma chambre et j'ai décidé de me coucher.

— Vous avez pris le minibus ? demanda Alex. Aucun de vous n'avait de voiture de location ? »

Laurie était impressionnée par l'habileté avec laquelle Alex menait ces interviews. Elle aurait dû se demander avant le tournage si les autres invités disposaient ou non d'une voiture, mais la seule mention du minibus avait suffi à faire réagir Alex.

« Pas moi, répondit Henry, et Charlotte non plus. Mais je sais qu'Amanda et Jeff avaient loué une voiture. Elle voulait pouvoir faire du shopping sur Worth Avenue sans avoir à prendre un taxi.

— Vous êtes-vous servi de la voiture de location ? » demanda Alex.

Henry hocha la tête puis se mit à rire. « C'est incroyable, même les garçons ont dû aller faire des courses. On s'était tous débrouillés pour oublier quelque chose – une ceinture, des chaussettes, de la mousse à raser. Le mercredi après-midi, on est descendus tous les quatre en ville.

— Par souci de clarté, s'agit-il de la voiture qui manquait lorsque Amanda a disparu ?

202

— Tout à fait.

— Parmi les invités, quelqu'un d'autre avait-il une voiture de location ?

— Je ne crois pas.

— Bien. Pour en revenir au photographe stagiaire, avez-vous remarqué quelque chose d'inhabituel à son sujet ?

— Du genre ? »

Ils essayaient toujours de ne pas influencer leurs témoins, mais dans les affaires classées, il était souvent nécessaire de leur rafraîchir la mémoire.

« Observait-il une attitude professionnelle avec vous ?

— Oui, il me semble. Mais maintenant que vous le dites, je me rappelle que Kate le trouvait un peu trop familier.

— C'est-à-dire ? demanda Alex.

— Rien de spécial. Juste qu'il avait à peu près notre âge, comparé au photographe surtout, et visiblement envie de rester avec nous, comme s'il faisait partie de la bande. Sur le moment, ça ne m'avait pas frappé, mais je dois avouer que je ne suis pas expert en matière d'étiquette.

— Vous avez l'air de quelqu'un de positif, dit Alex.

— Je crois, oui.

— Est-ce en partie pour cela que vous avez préféré suivre votre voie au lieu de travailler dans l'entreprise familiale ? J'imagine que lorsque des frères et sœurs essaient de diriger une entreprise ensemble, cela doit créer des tensions ?

— Si j'ai suivi ma voie, c'est que je préfère faire du vin que des "sous-vêtements de maintien", dit Henry en ajoutant des guillemets avec ses doigts. Au moins, je peux profiter de la marchandise.

— Mais vous admettez qu'il y avait une forme de rivalité entre vos sœurs, n'est-ce pas ? »

Laurie vit qu'Henry n'appréciait pas la question. Pourtant, quand elle l'avait eu brièvement au téléphone la semaine précédente, par deux fois il avait fait allusion à ses sœurs et à leurs relations professionnelles difficiles. Il ne pouvait guère nier à présent.

« Tous les enfants se disputent l'affection de leurs parents et la grande passion de mon père a toujours été son entreprise. Et tout le monde veut être respecté au travail, c'est sûr, mes sœurs comme les autres.

— Mais la rivalité n'a pas toujours été réciproque, n'est-ce pas ? demanda Alex.

— Amanda a toujours été plus sûre d'elle que Charlotte.

— Est-il vrai que Charlotte était parfois jalouse d'Amanda ? »

Alex était passé au contre-interrogatoire. Il était maître de la situation.

« Sans doute, oui.

— Et même en colère ?

— Parfois.

— En réalité, Charlotte n'était-elle pas amère de voir que votre père avait autorisé Amanda à ouvrir un bureau à New York et à développer l'activité de l'entreprise alors même qu'elle avait exprimé des doutes à ce sujet ? »

Laurie tenait cette information de l'ancienne assistante d'Amanda.

« Oui, elle était très contrariée. Mais si vous insinuez que Charlotte a fait du mal à notre sœur, vous délirez. Vous comprenez ? C'est bien pour ça que je ne voulais pas participer à cette émission stupide.

— Nous n'accusons personne, Henry. Nous nous efforçons seulement de mieux comprendre... »

Henry enlevait son micro. « Vous avez dit que je suis quelqu'un de positif. C'est parce que je dis ce que je pense, et voilà ce que je pense : vous pointez du doigt tous ceux qu'Amanda connaissait et aimait, alors que vous devriez traquer les obsédés du coin. Je m'en vais. »

Lorsqu'ils comprirent qu'Henry n'avait pas l'intention de revenir, Alex haussa les épaules. « Ce sont des choses qui arrivent. »

Étant donné la nature de son émission, Laurie avait l'habitude d'être accusée de diriger injustement ses soupçons, mais cette fois, les paroles d'Henry l'avaient piquée au vif. Tous ceux qui étaient rassemblés dans l'hôtel étaient des gens pour qui Amanda éprouvait suffisamment d'affection pour les inviter à son mariage. La plupart des meurtres étaient commis par des proches des victimes, mais Amanda pouvait être tombée aux mains de quelqu'un qu'elle n'avait jamais vu avant d'arriver dans cet endroit merveilleux, se dit Laurie.

Peut-être était-ce Jeremy Carroll.

37

Installée au bar de l'hôtel, Laurie étudiait la carte audacieuse des cocktails maison. À en croire celle-ci, ils étaient tous préparés sur place par le barman. Au milieu de ce cadre Art déco, elle avait l'impression d'avoir atterri dans un speakeasy.

Elle sentit qu'on lui touchait légèrement l'épaule et leva la tête. C'était Alex. Il lui donna un baiser. « J'espère que je ne t'ai pas fait trop attendre.

— Je viens juste d'arriver. Alors, qui a gagné ? »

Alex et Leo s'étaient éclipsés pour aller voir le match des Yankees sur grand écran dans un bar non loin de là. Leo avait juré de suivre à la lettre le régime qu'il s'imposait depuis qu'on lui avait posé deux stents dans le ventricule droit l'année précédente, mais Laurie était certaine qu'il n'avait pas pu résister à quelques ailes de poulet au barbecue.

« Les Red Sox, grommela Alex. Neuf à un, une vraie raclée. Et ton dîner en tête à tête avec ton fils, c'était bien ?

— Excellent. Timmy a englouti une platée de spaghettis aux boulettes et la moitié de mes lasagnes. Mon bonhomme a un sacré appétit. Et il n'arrête pas de me tanner pour que je te persuade d'aller avec lui sur le grand toboggan.

— Je serais ravi de l'accompagner, dit Alex. Demain matin par exemple, avant le tournage.

— Et d'abîmer ce brushing impeccable.

— D'abord Grace, et maintenant toi. » Il lui fit un grand sourire. « L'essentiel, c'est qu'il te plaise. »

Une serveuse leur apporta deux verres d'eau et des olives. Laurie commanda une vodka Martini et Alex un ginger ale. « On a déjà pas mal bu avec ton père. Tu ne voudrais tout de même pas que j'aie les yeux bouffis devant les caméras ? » Il tendit le bras par-dessus la table pour lui prendre la main. La sienne était chaude. C'était agréable.

« De mon côté, répondit Laurie, je n'ai pas bu une goutte pendant le dîner. Quand on dîne en compagnie d'un jeune homme de neuf ans, on est bon pour prendre le volant au retour. Pour changer de sujet, tu penses que ce qu'a dit Henry à propos de la voiture de location peut nous aider ? »

Alex soupira. « Pas vraiment. J'ai croisé Austin tout à l'heure dans le hall. Il m'a confirmé qu'ils s'étaient servis tous les quatre de la voiture pour descendre en ville, comme l'a dit Henry. Kate, Charlotte ou Meghan confirmeront que les femmes ont également pris la voiture pour aller faire du shopping, j'imagine.

— Je revérifierai les conclusions du rapport de police suite à la fouille de la voiture de location, dit Laurie. D'après Jerry, ils n'ont rien trouvé de concluant, mais je veux m'en assurer.

— Je l'ai relu après l'interview d'Henry. »

Alex avala une gorgée de ginger ale et eut un petit rire.

« C'est un vieux monsieur qui a retrouvé la voiture trois jours après la disparition d'Amanda et l'a signalée à la police. Quand les policiers lui ont demandé ce qu'il faisait derrière une station-service désaffectée, il a admis qu'il avait une envie pressante et craignait de ne pas pouvoir attendre d'être rentré chez lui. »

Laurie sourit. « Pourquoi a-t-il prévenu la police ?

— Au départ, il n'en avait pas l'intention, et puis il a remarqué un trousseau de clés par terre, au pied de la portière du conducteur. Il s'est dit que ce devait être une voiture volée et il a appelé la police en rentrant chez lui.

— Ils ont trouvé des traces d'ADN ou des empreintes ? demanda Laurie.

— La police a vérifié les deux. Ils ont relevé les empreintes d'Amanda et de Jeff sur le volant. Ils ont comparé les empreintes d'Amanda avec celles retrouvées dans sa chambre sur ses effets personnels. Jeff a proposé de lui-même de donner les siennes. Ils avaient tous les deux conduit, les résultats n'étaient donc pas étonnants. Les recherches d'ADN n'ont également abouti à rien. Et comme les six autres étaient tous montés dans la voiture, le fait de retrouver leur ADN ne nous avance à rien. Et n'oublie pas, c'est une voiture de location. Même si les loueurs passent toujours un coup de chiffon et d'aspirateur entre deux utilisateurs, elle devait être couverte de traces d'ADN des précédents occupants. La police a comparé les échantillons retrouvés à la base de données des délinquants sexuels, mais sans résultat.

— Si je comprends bien, on n'est pas plus avancés.

— Un petit peu tout de même. S'ils avaient trouvé du sang ou des touffes de cheveux, cela aurait indiqué qu'il y avait eu lutte. Mais il n'y avait rien. Ce qui est dommage, c'est que dans la nuit précédant la découverte de la voiture, il avait beaucoup plu. S'il y avait des empreintes d'Amanda ou d'un inconnu, ou encore des traces de pneus provenant d'une autre voiture, elles ont été effacées.

— On est dans l'impasse, soupira Laurie.

— Ah, tiens, ne regarde pas, mais on a de la compagnie au bar », lui glissa Alex à mi-voix.

Laurie jeta un coup d'œil furtif en direction du bar. Austin et Nick buvaient ce qui ressemblait à du scotch. Ils tournèrent la tête simultanément en voyant passer un groupe de jeunes femmes en robes élégantes.

« Visiblement, ils sont à l'affût, dit Laurie.

— C'est sûr.

— Tu crois que je peux les déranger ? Je voudrais leur demander s'ils se souviennent de Jeremy Carroll.

— Je repensais à lui cet après-midi, dit Alex. Je parie que les enquêteurs n'ont jamais fait le lien entre lui et Amanda.

— Je suis sûre que non. Bill Walker, le photographe, s'est souvenu de lui uniquement quand Jeff l'a appelé. Ce n'est qu'après la disparition d'Amanda que des clients se sont plaints de Jeremy. Et les voisins ont sollicité l'ordonnance de protection l'an dernier. La police n'avait aucun moyen de savoir que Jeremy avait travaillé sur les photos de mariage d'Amanda.

— Tu n'envisages pas de le contacter pour l'émission ?

— En tout cas, on est obligés d'en tenir compte. Si seulement il y avait un moyen de savoir s'il est bien l'homme de la vidéo de surveillance. Attends, je vais voir si Nick et Austin se souviennent de quelque chose.

— Tu veux que je vienne avec toi ? demanda Alex en commençant à se lever.

— Non, j'ai l'impression que tu les intimides. La concurrence est déjà assez rude pour les beaux mâles, au Grand Victoria. »

Il la regarda s'éloigner avec un sourire.

« Madame Moran, s'exclama Nick. Vous prendrez bien un verre ? » L'idée qu'elle se joigne à eux n'avait pas l'air d'enchanter Austin. Il espérait sans doute une autre compagne pour la soirée. « Appelez-moi donc Laurie, et c'est très aimable à vous, mais je bois déjà quelque chose. » Elle indiqua Alex qui leur fit un petit signe de la main. « Je ne vais pas vous importuner longtemps, mais nous avons un nouvel élément dans notre enquête. Vous rappelleriez-vous un jeune homme qui travaillait pour le photographe du mariage de Jeff et Amanda ? Il s'appelait Jeremy Carroll.

— Le stagiaire, répondit aussitôt Austin. Un fouineur, assez quelconque. Ses photos étaient plutôt réussies, si ma mémoire est bonne.

— Vous vous en souvenez !

— Austin se souvient de tout le monde, intervint Nick. C'est un observateur incroyable, on dirait Rainman. Moi ? Je ne me rappelle même pas qu'il y avait un photographe de mariage. »

Austin se lança dans une description détaillée de la séance photo au bord de la piscine, l'après-midi de l'enterrement de vie de garçon, mais Nick semblait n'en avoir gardé aucun souvenir.

« Avez-vous remarqué quoi que ce soit d'inhabituel à son sujet ? dit Laurie.

— Vous pensez qu'il est suspect ? demanda Austin d'une voix tendue. Ça fait des années qu'on répète à tout le monde que Jeff n'aurait jamais pu faire de mal à Amanda. Depuis le départ, Henry dit qu'elle a dû aller faire un tour et tomber sur un tordu. Vous croyez que ça pourrait être le stagiaire ?

— À ce stade, nous voulons seulement nous assurer que nous avons répertorié tous les gens qu'Amanda a rencontrés ici.

— Maintenant que j'y pense, c'est vrai que ce type avait l'air de s'intéresser à tout le monde, dit Austin. Je le trouvais trop zélé, comme peuvent l'être les stagiaires.

— S'intéressait-il particulièrement à Amanda ?

— Il me semble, oui. » À présent, il avait la voix soucieuse. « Sur le moment, ça paraissait normal. C'était la mariée, après tout. On aurait peut-être dû en parler à la police.

— Être excessivement passionné par son travail, c'est une chose, mais de là à commettre un meurtre, il y a un monde. »

Laurie ne voyait aucune raison de mentionner les récents démêlés de Jeremy avec la justice.

Nick vida son scotch et d'un geste demanda l'addition. « C'est tout ce que nous pouvons faire pour vous, Laurie ? » Ils étaient manifestement impatients de passer à des conversations plus agréables avec des femmes plus disponibles qu'elle.

« Juste une dernière question tant que je vous ai sous la main : nous essayons de déterminer qui disposait d'une voiture de location durant le séjour. Jeff et Amanda avaient loué une voiture. Est-ce que vous en aviez une ?

— Non, Jeff était le seul à en avoir une. Nous n'étions que des boat-people », dit Nick avec un sourire suffisant, visiblement satisfait de sa plaisanterie.

Austin se mit à décrire dans les moindres détails leur nouvelle passion pour les bateaux et les panneaux *Les femmes d'abord* et *La Colombe solitaire* qu'ils mettaient sur les yachts de location.

« C'est tout ? » demanda Nick, visiblement partagé entre l'envie de partir sur-le-champ et celle de se commander un autre verre.

« Oui, et la note est pour moi, dit Laurie en s'apprêtant à prendre l'addition. C'est le moins que je puisse faire. »

Nick lui posa légèrement la main sur l'avant-bras. C'était incontestablement un charmeur. « Navré de vous l'apprendre, Laurie, mais ce ne sera pas la première. Nous avons mis toutes nos consommations sur la note de nos chambres. »

C'est Brett qui va être content, se dit Laurie.

38

« Comment ça s'est passé ? » lui demanda Alex quand elle revint à leur table.

Elle lui fit part de ce qu'elle venait d'apprendre.

Comme à son habitude, il tira aussitôt des conclusions. « Cela fait une personne de plus qui affirme que Jeremy Carroll est un peu timbré. »

Quand ils avaient été entendus par la police, Jeff, Austin et Nick avaient donné une version identique de la soirée. Selon les trois amis, ils étaient allés prendre un dernier verre dans la chambre de Jeff après le dîner. Ils s'étaient quittés vers vingt-trois heures, puis Nick et Austin avaient regagné leurs chambres et s'étaient couchés.

« Attends, Alex. Les quatre garçons étaient soi-disant seuls dans leur chambre à partir de onze heures du soir. Henry dit s'être couché de bonne heure, vers vingt-deux heures. Cela signifie que personne ne peut confirmer où ils se trouvaient tous après vingt-trois heures, quand Amanda a disparu.

— En effet, acquiesça Alex.

— Or c'est précisément vers vingt-trois heures qu'Amanda est ressortie de l'ascenseur.

— Tu crois qu'elle devait retrouver l'un d'eux ?

— Je ne sais pas. Et la question, c'est de savoir si Jeremy Carroll traînait du côté de l'hôtel vers cette heure-là. Dans ce cas, il a peut-être aperçu Amanda et recommencé à la suivre.

— Je sais que ton père a trouvé son adresse. Ce n'est pas loin d'ici.

— J'y pensais, justement. Demain, après le tournage, j'irai lui rendre visite.

— Je t'en supplie, ne me dis pas que tu comptes y aller seule.

— Ne t'en fais pas. Le commissaire Leo va m'accompagner, et dûment armé.

— Ça me rassure. Pour changer de sujet, que dirais-tu d'aller dîner demain soir, tous les deux ? Il y a un nouveau restaurant gastronomique en ville, il paraît qu'il est fabuleux.

— Vraiment, juste toi et moi ?

— Tu pourras profiter de ce dîner romantique pour me raconter en détail ta rencontre avec Jeremy Carroll.

— Quoi de plus romantique ? Ça marche », répondit Laurie en riant.

Une demi-heure plus tard, ils se dirigeaient vers l'ascenseur. Laurie repensa soudain à Jeremy Carroll. Son regard se tourna vers le hall à présent plongé

215

dans l'obscurité. Elle imaginait Carroll tapi dans l'ombre, l'appareil photo en bandoulière. Elle voyait Amanda passer devant lui ce soir-là sans s'apercevoir que le jeune photographe l'épiait. Et la suivait.

39

Jeremy Carroll vivait dans un quartier modeste mais bien entretenu, composé de maisons de plain-pied et de pavillons plus ou moins anciens. Sa maison faisait tache. Construite sur un double niveau, elle avait besoin d'un coup de peinture et le jardin n'avait pas été tondu depuis longtemps. D'après l'ordonnance de protection requise par ses voisins, elle avait été léguée à Jeremy par sa grand-tante trois ans auparavant.

Laurie s'arrêta sur le trottoir. « Maintenant qu'on est là, je me dis qu'on aurait plutôt dû appeler le commissariat local.

— J'ai passé trente ans dans la police, Laurie. Je sais comment ça fonctionne. Si on parlait de nos soupçons aux policiers du coin, ils passeraient la journée à cogiter. Avec un peu de chance, ils appelleraient même un substitut du procureur pour lui demander son avis. Dès qu'ils l'interrogeraient, Jeremy prendrait un avocat. Alors que nous, nous sommes simplement envoyés par une télévision new-yorkaise pour une émission. Ça l'incitera peut-être à nous parler.

— Ce n'est pas dangereux d'aller sonner chez lui, à ton avis ?

— Tant que je suis avec toi, on ne risque rien. »

Laurie vit son père glisser la main dans sa veste, là où il rangeait son arme. Il avait passé tant d'années dans la police qu'il était mal à l'aise quand il ne l'avait pas sur lui.

Quand Leo appuya sur la sonnette, le cœur de Laurie se mit à battre à se rompre. Allaient-ils se retrouver face au tueur d'Amanda ?

Elle reconnut immédiatement Jeremy grâce à sa photo d'identité judiciaire. Il avait la même expression traquée, apeurée.

« Qu'est-ce que vous venez faire ici ? »

Instinctivement, Laurie jeta un coup d'œil à ses mains et à sa tenue pour voir s'il était armé. Il n'avait rien dans les mains et il était en tee-shirt et bas de survêtement – il lui aurait été difficile de dissimuler une arme. Son cœur reprit un rythme normal.

Puis elle regarda derrière Jeremy, à l'intérieur de la maison. Dans le salon, il n'y avait qu'un vieux canapé marron et un poste de télévision. Un peu plus loin, elle aperçut une petite table et deux chaises dans ce qui était censé être la salle à manger. Malgré ce mobilier réduit au strict minimum, la maison était envahie par un fatras inimaginable. Des ordinateurs, des équipements vidéo et des imprimantes vétustes étaient éparpillés dans tous les coins. Des piles de magazines et de journaux de plus d'un mètre cinquante de haut se dressaient ici et là. Et partout où le regard se posait, il y avait des photos – étalées par terre, sur la table, punaisées aux murs, accrochées dans la cage d'escalier.

Elle regarda Leo, les yeux écarquillés. Il prit les choses en main. « Nous travaillons aux studios Fisher Blake et nous aimerions vous parler de vos photos. »

C'était astucieux. Le nom de l'émission aurait éveillé la méfiance de Jeremy. Les studios Fisher Blake faisaient davantage penser à un studio photo. Malgré cela, Jeremy eut l'air sceptique.

« J'ai envoyé mon travail à tous les principaux photographes du sud de la Floride. Je n'ai jamais entendu parler de vous, monsieur Blake.

— Oh, je ne suis pas M. Blake. Je m'appelle Leo. » Il lui tendit la main. « Et voici Laurie. Et nous ne sommes pas de la région. Nous venons de New York. »

À l'évocation de New York, le regard de Jeremy s'éclaira, mais il se rembrunit dès que Leo lui tendit l'image de la vidéo de surveillance du Grand Victoria. Laurie vit aussitôt qu'il se reconnaissait. Pour elle, il n'y avait aucun doute : Jeremy était bien l'homme qu'elle avait repéré derrière Amanda à dix-sept heures trente, le jour de sa disparition.

« Elle a été prise au Grand Victoria Hotel, déclara Leo. Vous voyez la date imprimée au bas de l'image ? Vous vous rappelez ce jour-là ? »

Jeremy hocha lentement la tête. Il ne niait pas être l'homme filmé par les caméras de surveillance.

« Bill Walker, le photographe qui vous avait engagé, nous a dit que vous aviez arrêté votre reportage à dix-sept heures. Mais vous vous trouviez encore là-bas une demi-heure plus tard, avec votre appareil. Tout a été filmé.

— Je ne comprends pas. Qui êtes-vous ? »

Laurie décida qu'il valait mieux lui faire un peu peur et lui expliqua qu'ils travaillaient pour *Suspicion* et enquêtaient sur la disparition d'Amanda. « Nous pouvons entrer ? » Elle pénétra à l'intérieur sans attendre la réponse et Leo lui emboîta le pas. Elle ne craignait plus Jeremy Carroll, c'était un lâche qui se donnait l'illusion du pouvoir en agissant dans l'ombre, dissimulé derrière son objectif. Il n'oserait pas s'en prendre à elle en présence de son père.

« Pourquoi n'avez-vous pas dit à la police que vous aviez vu Amanda après avoir fini votre reportage avec Walker ? demanda Leo.

— Parce que personne ne me l'a demandé. Et je savais que si je leur disais, ils me soupçonneraient. On me soupçonne toujours.

— Vous aimez prendre les gens en photo à leur insu. »

Laurie désigna toutes les photos qui jonchaient le sol. D'un simple coup d'œil, elle se rendit compte que la plupart des clichés avaient été pris au téléobjectif, sans que les sujets se rendent compte qu'ils étaient observés.

« C'est mon style. Je ne photographie pas les fleurs ou les paysages. Je photographie les gens, sans pose ni artifice. Je les saisis dans leur vérité. C'est ce que tout le monde recherche, non ? Regardez tous les *selfies* postés sur Internet. Les gens adorent être pris en photo.

— Même vos voisins ? répliqua Leo. Ils n'ont pas eu l'air d'apprécier votre style.

— C'était un malentendu. J'ai essayé de leur expliquer. Dès que j'ai compris qu'ils étaient choqués, je me suis débarrassé de toutes les photos que j'avais faites d'eux. Ce n'aurait pas été bien de les garder.

— Et Amanda ? demanda Laurie. Vous avez des photos d'elle ? Des photos dont elle ignorait l'existence ? »

Elle se dirigea vers la salle à manger et commença à fouiller parmi les photos étalées sur la table.

« Arrêtez ! » s'écria Jeremy. Leo se précipita vers Laurie pour se placer entre elle et le photographe. « S'il vous plaît, dit ce dernier en baissant le ton, il faut que vous partiez, maintenant. Vous n'avez pas le droit d'être ici. C'est une violation de domicile. Allez-vous-en. »

Laurie se tourna vers son père pour lui demander conseil.

« Si vous ne partez pas, j'appelle la police », menaça Jeremy.

Leo prit Laurie par la main et l'emmena vers la porte d'entrée. Ils n'avaient pas le choix.

« Mais, papa », dit-elle une fois qu'ils furent en sécurité dans la voiture, « il a des photos d'Amanda. J'en suis sûre. Et maintenant, il va les détruire.

— Non, répondit-il d'un air grave. Elles ont trop de prix à ses yeux. Ce sont des souvenirs. »

40

Alex serra Laurie dans ses bras dès qu'elle entra dans sa chambre.

« Je ne voulais pas vous montrer que j'étais inquiet, mais Dieu merci, vous êtes sains et saufs tous les deux. Comment ça s'est passé ? Il est comment ? »

Laurie s'assit sur le canapé et enfouit son visage dans ses mains. « Terrifiant.

— Un tordu de première, dit Leo. Totalement cinglé.

— Il vit au milieu d'un amas de choses qu'il entasse, expliqua Laurie. Tout est couvert de photos, du sol au plafond. On se serait crus dans un film d'horreur. Quand j'ai insisté pour savoir s'il avait des photos d'Amanda, il nous a fichus à la porte. Tu crois qu'on devrait appeler la police maintenant, papa ?

— Pour leur dire quoi ? dit Alex. Tu viens de dire toi-même que tu n'as aucune preuve. Comment peux-tu être aussi sûre qu'il est coupable ? »

Leo secoua la tête. « J'oublie parfois que vous êtes avocat de la défense. Croyez-moi, nous étions sur place. Jeremy Carroll sait quelque chose.

— Avec tout le respect que je vous dois, Leo, ça ne signifie pas pour autant qu'il est coupable. Je vois constamment des gens se faire coincer par les policiers sous prétexte qu'ils sont nerveux ou qu'ils essaient de dissimuler un secret inoffensif.

— Il ne s'agit pas de coincer qui que ce soit...

— Soyez gentils, ne vous disputez pas, supplia Laurie. Papa a raison, Alex. Tu n'étais pas là-bas. Il est évident que Jeremy est... » Elle s'interrompit, cherchant ses mots. « ... un type bizarre. Et il n'a même pas nié être l'homme de la vidéo. Il a fait demi-tour pour suivre Amanda et il a été reconnu coupable de harcèlement.

— Mais tu suggères qu'il a fait bien pire », souligna Alex.

Laurie se tourna vers son père. « Alex a raison, tant que nous n'avons aucune preuve solide, nous ne devons pas tirer de conclusions.

— Alors, qu'est-ce que tu veux faire ? demanda Alex. C'est à toi de voir.

— Papa, dit lentement Laurie. D'après ton expérience, tu ne penses pas que Jeremy risque de filer ou de détruire des preuves si on n'agit pas tout de suite ? »

Leo haussa les épaules. « On ne sait jamais, mais si ce type est incapable de jeter quoi que ce soit, je ne pense pas qu'il se débarrassera de photos qu'il conserve depuis plus de cinq ans. Et cette maison est probablement tout ce qu'il possède. Il n'a pas les moyens de sauter dans un avion et de passer sa vie en cavale à l'autre bout du monde.

224

— Et n'oubliez pas, dit Alex, ce n'est pas parce qu'il sait peut-être quelque chose sur la disparition d'Amanda qu'il y est mêlé. »

Laurie hocha la tête. « Qu'est-ce que vous en pensez ? Jerry peut l'appeler pour essayer d'arranger les choses. Il peut lui dire que nous contactons tous les gens qui se trouvaient au Grand Victoria pendant ces quelques jours et que nous ne voulions pas nous immiscer dans sa vie privée. Ça pourrait peut-être le calmer.

— Bonne idée, dit Alex.

— Et au fait, Alex, aucun d'entre nous n'a l'intention de porter de jugement hâtif. Pour l'instant, nous gardons l'esprit ouvert, mais il est d'autant plus important de mettre la pression à tout le monde. Aucune indulgence envers qui que ce soit.

— Je n'ai pas l'intention de faire preuve d'indulgence envers quiconque, répondit Alex, agacé.

— La prochaine, c'est Meghan. J'ai hâte de savoir comment elle a fini par épouser le fiancé de sa meilleure amie », dit Laurie en se levant.

41

« Vous avez bientôt fini, madame White ? Les caméras sont réglées en fonction des conditions de lumière actuelles et dehors la luminosité varie rapidement. »

Meghan White leva le doigt. Elle aurait déjà terminé si son ordinateur portable captait mieux. Quand elle avait dit à Jeff qu'elle acceptait de participer à cette horrible émission, elle pensait qu'ils auraient amplement le temps de prendre leurs dispositions au bureau avant de partir. Au lieu de quoi on les avait expédiés en Floride au pied levé, comme s'il lui suffisait d'appuyer sur un bouton pour mettre tous ses dossiers en attente.

Elle essayait de travailler à distance, mais il est de notoriété publique que dans les hôtels, la connexion Wi-Fi est peu fiable, alors… elle s'était créé sa propre borne avec son ordinateur portable. Elle était en train de télécharger un dossier d'appel et regardait la barre progresser lentement. L'assistant de production – comment s'appelait-il déjà, Jerry ? – commençait manifestement à s'impatienter. Elle avait envie de lui dire que s'ils en étaient à une minute près, ils auraient dû filmer à l'intérieur. « Je suis à vous dans une seconde, promis. »

Quand le téléchargement fut enfin terminé, Meghan referma son ordinateur et suivit Jerry jusqu'à la promenade située derrière le bâtiment principal, où Laurie Moran avait fait disposer des meubles en rotin. Elle résista à la tentation d'ôter tout son maquillage. La maquilleuse qui l'avait tartinée lui avait promis qu'une fois filmée elle aurait l'air naturel, mais elle avait l'impression d'avoir de la boue sur la figure. Elle avait arrêté de discuter quand la maquilleuse lui avait dit : « Il ne faut pas que vous soyez trop pâle à l'écran, sinon vous aurez l'air d'avoir peur. »

Meghan avait peur, mais elle ne voulait pas que cela se voie. Elle lui avait demandé de lui remettre un peu de blush. Laurie Moran, la productrice, qui la pourchassait au téléphone depuis une semaine, paraissait relativement aimable, mais quand elle s'était dite ravie de la rencontrer enfin en personne, Meghan avait cru percevoir une pointe d'ironie dans sa voix. Ce qu'elle redoutait le plus, c'était d'affronter Alex Buckley. L'habileté avec laquelle il menait ses contre-interrogatoires était légendaire.

Maintenant qu'elle avait rangé son ordinateur portable, elle n'avait plus d'excuse pour se dérober. Bon, finissons-en, s'encouragea-t-elle, histoire que Jeff et moi on puisse rentrer à la maison et reprendre le cours de notre vie.

Sitôt les présentations faites, Alex Buckley commença par demander à Meghan de se justifier sur le moment qu'elle avait choisi pour entamer une relation amoureuse avec Jeff.

Il n'y va pas de main morte, songea Meghan. Il frappe là où ça fait mal.

« Vous n'étiez pas sans savoir que certains verraient d'un mauvais œil que vous commenciez à sortir ensemble alors qu'Amanda, sa fiancée et votre meilleure amie, était toujours portée disparue. »

Meghan avait répété des centaines de fois ce qu'elle comptait répondre, mais maintenant qu'elle était là, elle ne pensait plus qu'à la chaleur des projecteurs et aux caméras braquées sur elle. Elle qui s'était tellement efforcée de ne pas attirer l'attention.

Elle réussit péniblement à articuler : « Nous avons été les premiers surpris.

— Vous avez toujours dit que c'était vous qui aviez présenté Amanda à Jeff.

— C'est exact. Dans un café de Brooklyn. Amanda adorait leurs bagels, ajouta-t-elle tristement.

— Mais vous n'aviez aucunement l'intention de jouer les entremetteuses, n'est-ce pas ? demanda-t-il d'un ton compatissant. N'est-il pas exact que Jeff est tombé sur vous par hasard ?

— Sans doute, oui.

— À vrai dire, n'étiez-vous pas amoureuse de Jeff du temps où vous étiez à l'université ? »

Elle haussa les épaules. « Ça arrive de craquer pour un étudiant, quand on est à l'université, mais ça ne dure jamais très longtemps.

— Vous aviez donc bien craqué pour lui. Et vous étiez donc ravie quand, à la fin de vos études de droit, vous vous êtes tous les deux retrouvés à New York et qu'il vous a proposé de sortir un soir ?

— Oui, j'imagine.

— C'est vous qui avez décidé de ne plus le voir ou la décision venait-elle de lui ?

— Ça ne s'est pas passé comme ça. Nous n'en avons même pas discuté. C'est juste que nous ne nous sommes vus que deux fois seuls et qu'il n'y a pas eu de troisième fois.

— Est-ce parce que Jeff ne vous a pas invitée ? »

Durant le silence qui suivit, Meghan perçut le sous-entendu. Son interlocuteur avait marqué un point à ses dépens. Toutes ces années, elle avait feint d'avoir joué les cupidons entre Amanda et Jeff. La vérité allait-elle éclater ? Allait-on découvrir qu'elle avait toujours aimé Jeff ? Qu'elle avait sangloté pendant des heures après le coup de fil d'Amanda, qui l'avait appelée le lendemain de leur rencontre au café pour lui annoncer que Jeff l'avait invitée à dîner ?

En désespoir de cause, elle tenta d'inverser les rôles. « Les œillères, ça vous dit quelque chose ? lâcha-t-elle. Que je vous explique. C'est par exemple lorsqu'un enquêteur se met à soupçonner quelqu'un en particulier et envisage tous les éléments d'une affaire sous cet angle. Je pourrais prendre n'importe lequel d'entre nous et soulever des interrogations. Cela ne signifie pas pour autant que l'un de nous est coupable. Tenez, prenez Kate. Le soir où Amanda a disparu, elle a dit qu'elle montait dans sa chambre parce qu'elle avait trop bu. Mais quand je suis allée m'assurer qu'elle allait bien, j'ai eu beau cogner à la porte, elle n'a pas répondu. Le lendemain matin, elle a prétendu qu'elle ne m'avait pas entendue frapper, alors que de tous les gens que je connais, c'est elle qui a le sommeil le plus léger. À l'université, dès qu'un étudiant mettait un CD deux chambres plus loin, elle se réveillait. Est-ce que je sais où Kate a passé la nuit ? Pas vraiment. Mais est-ce qu'elle est mêlée de près ou de loin à la disparition d'Amanda ? Je suis convaincue que non. Vous allez vous amuser à nous piéger les uns après les autres ? Vous essayez de nous faire tous passer pour des coupables, c'est ça ? »

Meghan avait l'impression que sa remarque était pertinente, mais les producteurs pouvaient toujours couper ce qui ne leur plaisait pas. Une fois qu'ils auraient achevé leur petit montage, elle passerait peut-être pour une folle sur la défensive.

Alex changea de sujet : « Avez-vous menacé de poursuivre Amanda en justice pour vous avoir volé l'idée d'un produit ? »

Les pires craintes de Meghan se confirmaient. Enfin, les pires, peut-être pas, mais à l'évidence, l'interview prenait une mauvaise tournure. Elle se sentait encore plus nauséeuse qu'elle ne l'avait été de la semaine. Comment pouvaient-ils être au courant de la dispute qu'elles avaient eue dans les bureaux de Ladyform ? Elle était persuadée que la disparition d'Amanda avait éclipsé leur altercation depuis longtemps. À tous les coups, ça venait de Charlotte. Cette femme avait la rancune tenace.

« Je ne l'ai pas menacée, mais je lui ai dit que j'étais blessée. À l'université, on avait toutes les deux inventé un système pour ranger nos clés et notre iPod quand on faisait du sport. On avait cousu des poches en néoprène sur nos affaires. Ça permettait de garder le contenu au sec et bien calé. En plus, c'était plutôt mignon. Quand j'ai vu la collection X-Dream de Ladyform, j'étais tellement furieuse que je suis allée voir Amanda à son bureau. On s'est disputées pour savoir à qui appartenait l'idée. Je croyais que c'était la mienne, ou du moins qu'on l'avait eue à deux. Elle soutenait que la conception et le brevet leur appartenaient, à l'entreprise et elle. D'après moi, si vraiment elle avait estimé ne pas être en tort elle m'aurait prévenue.

— Vous hurliez si fort qu'on vous entendait à l'autre bout du couloir. Est-ce que vous étiez d'autant plus en colère qu'Amanda s'apprêtait à épouser un homme qui vous intéressait toujours ? »

Meghan commençait à regretter de ne pas avoir essayé de dissuader Jeff de venir. À présent, elle était piégée. Elle n'avait pas d'autre choix que de parler. « J'admets que la discussion que nous avons eue dans son bureau était houleuse. Mais elle m'a rappelée le lendemain. On a déjeuné ensemble. Elle m'a expliqué tout le travail de conception et les essais qui avaient été nécessaires pour transformer notre petit système tout simple en un produit révolutionnaire. Elle s'est excusée de ne pas m'avoir tenue au courant et je lui ai dit qu'elle pouvait se faire pardonner en m'offrant l'excellent champagne que nous avions commandé et en m'envoyant un carton de vêtements de sport gratuits. » Meghan sourit en y repensant. « Finalement, ça n'a été qu'une simple bisbille entre amies. Et c'est au cours de ce même déjeuner que nous avons eu la conversation à laquelle je reviens toujours. C'est pour cette raison que je crois sincèrement qu'Amanda a quitté l'hôtel seule. »

Alex se pencha. Meghan espérait qu'il la croirait. Elle n'en avait jamais parlé qu'à Jeff. « La maladie l'avait profondément changée. Amanda m'a dit qu'elle ne ferait plus rien par loyauté ou par obligation. Elle voulait vivre pour elle-même. C'est pour ça qu'elle n'avait pas reconnu ma contribution à X-Dream. Dans son for intérieur, elle estimait que je ne le valais pas et que, par conséquent, si elle en partageait le mérite avec moi, sa réussite s'en verrait diminuée.

— Et quel est le rapport avec sa disparition ? demanda Alex.

— Amanda n'était plus la même. Avec le recul, je crois qu'elle essayait de me faire comprendre qu'elle en avait assez d'être un modèle de perfection. La fille exemplaire. L'amie exemplaire. L'épouse exemplaire. Elle voulait la liberté, elle voulait le pouvoir, et elle ne voulait pas se sentir coupable d'être devenue une femme forte et indépendante. Mais tout

232

cela était impossible en restant sous l'emprise de sa famille, de ses amis et bientôt d'un mari.

— Certains de vos amis ont rapporté que vous n'étiez pas aussi affolée que les autres. Pourquoi n'en avoir jamais parlé ?

— J'ai fini par l'expliquer à Jeff. Mais je trouvais que ce n'était pas bien de raconter ça aux autres. J'avais l'impression de la critiquer, c'était comme si je disais que le cancer l'avait rendue égoïste. Ç'aurait été terrible, non ? En fait, je voyais les choses autrement. J'étais heureuse pour elle. Je pensais qu'elle avait trouvé un moyen de repartir de zéro. C'est pour ça que je n'ai pas culpabilisé quand nous nous sommes rapprochés, Jeff et moi. Vous saviez que les alliances avaient disparu ? »

Elle espérait surprendre Alex, mais il s'attendait à cette question.

« Oui, Jeff a expliqué qu'il ne s'était aperçu de leur disparition qu'une fois rentré à New York. Il a admis qu'il ne faisait pas toujours attention à bien fermer le coffre de l'hôtel. Il pense qu'elles ont peut-être été volées par un employé. »

Pour la première fois, Meghan eut l'impression d'être en position de force. Croyaient-ils réellement que les alliances avaient disparu comme par hasard en même temps que la future mariée ? « Ce serait une curieuse coïncidence, dit-elle. Et je parie que le vol est extrêmement rare, dans cet hôtel. Les postes sont convoités. J'imagine mal un employé prendre un tel risque.

— En ce cas, quelle est votre hypothèse ? demanda Alex.

— J'ai toujours pensé qu'Amanda les avait emportées en souvenir. Elle voulait peut-être refaire sa vie, mais elle aimait Jeff. Je l'aimais encore plus, ce n'est pas un crime. » Elle se tourna face à la caméra. « Je suis heureuse, Amanda, et j'espère que tu l'es aussi. »

Meghan ne pouvait pas faire mieux. Quand Jerry lui enleva son microphone, elle eut l'impression qu'on lui ôtait de la poitrine un énorme poids. Elle avait envie de se retrouver chez elle. Je t'en supplie, Jeff, songea-t-elle, rentrons à la maison. J'ai quelque chose à te dire.

42

« Si vous croyez cette femme sur parole, j'ai un frigo à vendre aux Esquimaux. » Grace tendit son index impeccablement manucuré pour souligner son propos.

L'équipe était réunie dans le salon de la suite d'Alex pour reparler de l'interview de Meghan. C'était la première fois qu'ils filmaient un témoin directement, sans avoir eu au préalable une conversation plus générale à l'écart des caméras.

Jerry et Grace avaient une opinion radicalement différente de Meghan. « Tu es tellement cynique, lui dit Jerry. Moi, je l'ai trouvée très franche. Le frère et la sœur d'Amanda nous avaient prévenus, il me semble, nous savions à quoi nous attendre. Elle n'est pas émotive. Ce qu'elle a dit me paraît crédible. »

Grace attendait que Jerry ait fini, avec l'envie manifeste de sauter au plafond. « Elle avait appris son texte par cœur, à la virgule près, ça se voyait. Même ses silences semblaient programmés.

— Ça ne veut pas dire qu'elle mentait, répliqua Jerry.

— Peut-être pas, mais ça veut dire qu'elle a quelque chose à cacher. La seule question est de savoir si Alex lui a fait cracher le morceau ou si elle dissimule autre chose. En tout cas, cette femme a menti pendant des années à propos de ses sentiments pour Jeff. Elle ne l'a pas présenté à Amanda, ou du moins, ce n'était pas dans ses intentions. À mon avis, elle doit regretter d'être tombée sur lui au café. Je parie qu'elle était folle de lui depuis la fac. C'est peut-être même pour ça qu'elle est partie à New York à la fin de ses études de droit et s'est installée, comme par hasard, à Brooklyn, non loin de chez lui. »

Laurie, qui songeait aussi à Meghan, suivait la conversation d'une oreille distraite.

Alex remit ses lunettes, qu'il avait relevées pour examiner ses notes. « Je suis de votre avis, Grace, elle s'intéressait sans doute plus à Jeff avant la disparition d'Amanda qu'elle ne veut bien l'admettre. Mais je la crois quand elle dit qu'elles se sont réconciliées après la scène au bureau de Ladyform.

— Ah oui ? répliqua Grace. Et elle aurait renoncé à une petite fortune en échange d'un simple déjeuner au champagne et d'un carton de vêtements de sport ?

— Si elles étaient en conflit, Meghan aurait-elle été sa demoiselle d'honneur ? » Alex s'interrompit. « Qu'est-ce que tu en penses, Laurie ? Certains témoins ont évoqué le cancer d'Amanda, mais elle est la première à expliquer comment la maladie l'avait transformée. »

C'était le passage de l'entretien auquel Laurie repensait depuis une demi-heure. Meghan semblait sincère quand elle évoquait Amanda après sa maladie. Étant son amie, elle était peut-être plus en mesure d'évaluer ce changement que sa famille ou son fiancé. Pour la première fois, Laurie pensa qu'après tout, il était possible qu'Amanda ait voulu s'échapper. Peut-être s'était-elle enfuie, comme le pensait Meghan. Mais il se pouvait aussi qu'elle ait annoncé à Jeff qu'elle ne voulait plus se marier. Et en ce cas, ils étaient revenus à la case départ : tout accusait Jeff.

« Les alliances disparues ! s'exclama-t-elle soudain. Quand Jeff m'en a parlé, je n'y ai pas vraiment attaché d'importance sur le moment. Mais Meghan a raison de le souligner : c'est une drôle de coïncidence qu'elles se soient volatilisées durant leur séjour à l'hôtel. Jeff s'est dit qu'un employé avait dû profiter de la confusion générale pour les subtiliser, mais ç'aurait été risqué. Si quelqu'un avait été surpris en possession d'alliances appartenant à une femme disparue, il aurait aussitôt été considéré comme le principal suspect.

— Sans compter que des alliances ne valent pas grand-chose comparées à ce que les clients conservent généralement dans leur coffre, ajouta Jerry. Meghan a raison : il est probable qu'elles ont été emportées en souvenir et pas volées. J'ai vraiment été touché quand Meghan s'est tournée vers la caméra en disant qu'elle espérait qu'Amanda était heureuse. Ce serait incroyable, non, si Amanda voyait notre émission et contactait sa famille ?

— C'est pas vrai, soupira Grace. Vous avez vraiment gobé toutes les conneries qu'elle a débitées. »

C'est le deuxième jour de tournage, soupira Laurie, et j'ai l'impression de ne pas avoir avancé d'un pas.

43

« Grand-père, viens avec nous ! » Timmy et quatre autres enfants s'étaient lancés dans une partie déchaînée d'un, deux, trois, soleil dans l'eau. « Le papa de Jake dit qu'il veut bien jouer si on trouve un autre adulte. »

Leo balaya des yeux le bord de la piscine. Un homme d'une quarantaine d'années attira son attention et secoua discrètement la tête, le regard implorant. Leo s'en doutait, le père de Jake cherchait un prétexte pour éviter de se faire pourchasser dans l'eau par une bande de gamins.

« Vous monopolisez suffisamment la piscine comme ça. »

Tandis qu'une voix enfantine se remettait à compter, Leo sourit et reprit une gorgée de piña colada. Laurie trouverait sans doute que c'était trop calorique, mais il estimait qu'il méritait bien ce petit plaisir. Quand Timmy et lui avaient quitté la suite, Laurie, Alex, Jerry et Grace agitaient toutes sortes d'hypothèses sur la disparition d'Amanda.

Mais Leo était prêt à boucler le dossier. Plus il y pensait, plus il était persuadé que Jeremy Carroll était leur homme. Il avait eu ce pressentiment si familier qu'éprouvent les policiers en découvrant le chaînon manquant dans une enquête. Le plus souvent, il suffit de vingt-quatre heures : l'épouse est surprise à mentir, un des collègues de la victime ne vient pas travailler le lendemain. Mais quand le coupable ne joue qu'un rôle mineur dans la vie de la victime – le paysagiste, le préposé aux sacs du supermarché ou le stagiaire engagé par le photographe de mariage –, on peut mettre des années à faire le lien.

D'après Jerry, Jeremy avait accepté ses excuses et s'était apparemment accommodé de l'explication qu'il lui avait fournie quand il lui avait téléphoné : la visite qu'il avait reçue ce matin-là n'était qu'une enquête de routine menée avec maladresse par deux employés trop zélés. Tant que Jeremy se croyait à l'abri, Laurie et Alex pouvaient terminer tranquillement les interviews des autres participants de l'émission, mais après le tournage, Leo convaincrait sa fille d'aller voir la police locale pour lui faire part de ce qu'ils avaient découvert. Leo avait déjà dans l'idée d'utiliser l'agent de probation de Jeremy pour fouiller sa maison. Si on retrouvait des photos d'Amanda – et Leo savait qu'on en trouverait –, un bon inspecteur pourrait s'en servir pour obtenir des aveux.

Leo retrouvait ses vieux réflexes de policier. Il voyait chaque élément de l'enquête se mettre en place. Il ne regrettait pas d'avoir pris sa retraite pour aider Laurie à s'occuper de Timmy, mais son métier lui manquerait toujours.

Maintenant que Timmy a grandi, se dit-il, je peux peut-être envisager de me mettre à mon compte et mener parallèlement quelques enquêtes. Je serais bon. Il ferma les yeux et sentit la chaleur du soleil sur son visage.

Alors que son esprit vagabondait, il se rappela que Laurie lui avait raconté qu'Amanda avait organisé des veillées de prières pour une étudiante assassinée dans son université. Il se demanda si le meurtre avait été élucidé. Cela pouvait faire un bon sujet pour la prochaine émission de Laurie.

Il fouilla dans le sac de plage de Timmy, en sortit son iPad et se connecta sur le Wi-Fi de l'hôtel. Comme il avait oublié le nom de la fille, il tapa « étudiante disparue université Colby ».

Elle s'appelait Carly Romano, elle avait vingt ans et était en deuxième année, alors qu'Amanda et ses amis étaient en troisième année à l'époque de sa disparition. Elle était du Michigan et elle avait été aperçue pour la dernière fois à une soirée qui se déroulait hors du campus. Personne ne l'avait vue partir, mais on supposait qu'elle avait voulu rentrer à pied toute seule. Ce n'est que deux semaines plus tard qu'elle avait été retrouvée, étranglée, dans le lac Messalonskee.

Leo jeta un coup d'œil en direction de la piscine pour s'assurer que Timmy allait bien. Il était persuadé que les gamins allaient continuer à jouer jusqu'à s'écrouler de fatigue.

Il continua à cliquer sur la rubrique Actualités. *A priori*, personne n'avait été arrêté et la police n'avait jamais désigné officiellement de suspect.

Il chercha le numéro de téléphone des services de police proches de Waterville, dans le Maine, où était située l'université de Colby et se les envoya par mail, ainsi que le nom de la victime, Carly Romano. Je ne suis peut-être pas encore prêt à ouvrir ma propre agence de détective privé, se dit-il, mais ça ne m'empêche pas de mener des petites recherches de mon côté.

44

« On va vraiment les laisser boire du scotch pendant l'interview ? » Jerry dressait minutieusement le buffet des cocktails dans le bar de l'hôtel. En filmant sous le bon angle, les caméras rendraient justice au bois sombre du bar au soleil et aux palmiers à l'extérieur.

« Fais-moi confiance, dit Laurie. C'est le cadre idéal pour que Nick et Austin soient détendus. C'est absolument essentiel, et pour cela, il faut leur offrir leur boisson préférée. »

Laurie avait décidé d'interroger les deux amis ensemble. Ils se montraient plus ouverts quand ils étaient en compagnie l'un de l'autre. Quant à leur tenue, Laurie n'aurait pas mieux fait si elle avait sélectionné leurs vêtements elle-même. Ils arrivèrent en costume d'été beige assorti d'une chemise bleu dur à col ouvert. La seule différence était le motif de leur pochette. Malgré leurs tenues quasiment identiques, ils ne se ressemblaient pas le moins du monde. Nick avait un physique de rêve, l'allure athlétique, c'était le type d'homme qui portait bien le costume. Austin était plutôt quelconque, avec une légère bedaine qui débordait de sa ceinture. Son costume pourtant impeccablement coupé ne l'avantageait guère. Elle se rappelait ce qu'avait dit la mère d'une de ses amies en parlant du petit copain de sa fille : « Il est encore mal à l'aise dans son costume Armani. »

« Allons droit au fait », déclara Alex dès que le tournage commença. « Au dire de tous, vous êtes tous les deux de bons partis. L'assistante de l'émission nous a même appris que vous ne pouvez pas vous empêcher de flirter avec toutes les femmes que vous croisez. Comme le dit le proverbe, qui se ressemble s'assemble. Votre ami Jeff était-il prêt à fonder un foyer avec Amanda ? »

Laurie ne fut pas étonnée de voir Nick se charger de répondre. Des deux, c'était manifestement le mâle dominant. « Absolument, acquiesça-t-il avec assurance. Écoutez, dès qu'on s'est retrouvés dans la même chambre à l'université, Jeff et moi, on a été très liés, mais il n'a jamais joué les ailiers.

— Pouvez-vous expliquer ce que cela signifie pour nos téléspectateurs ?

— Bien sûr. » Nick et Austin échangèrent un regard amusé. « Un copain qui vous accompagne quand vous draguez. Un partenaire de chasse, pour ainsi dire. »

Laurie avait envie de les couper au montage. Pas étonnant qu'elle ait toujours évité les lieux de rencontre.

« Ce n'était pas le genre de Jeff ? demanda Alex.

— Pas du tout », intervint Austin qui avait du mal à placer un mot. « À l'université, il ne pensait qu'à ses études. Il restait plutôt avec ses copains.

— Et par la suite, quand il est devenu avocat à New York ? »

Austin ne pouvait manifestement pas répondre. Nick était plus proche de Jeff que lui : « Ça lui arrivait de sortir avec une fille, mais rien de sérieux. En fait, c'est moi qui ai eu une petite amie pendant quelque temps…

— Melissa, l'interrompit Austin. Ça n'a pas duré longtemps.

— C'est vrai. J'ai fait un écart à l'enterrement de vie de garçon d'un copain. Melissa l'a appris et elle m'a quitté. Je n'ai pas réessayé, mais contrairement à certains ici, – et je ne nommerai personne –, au moins j'ai tenté le coup. Quoi qu'il en soit, une fois que Jeff a commencé à sortir avec Amanda, il ne parlait plus que d'elle.

— Mais pendant quelque temps, leur relation était plus ou moins en pointillé, n'est-ce pas ? demanda Alex.

— Au début, oui, répondit Nick. Quand l'un ou l'autre était submergé de travail, leur relation passait au second plan. Mais lorsque c'est devenu sérieux entre eux, et après, quand Amanda est tombée malade, c'était incroyable, dès qu'il n'était pas au bureau, il était avec elle. Et il l'a demandée en mariage le lendemain du jour où elle lui a annoncé qu'elle avait un cancer.

— Et quand elle a été guérie ? demanda Alex. Les avez-vous vus se disputer ?

— Ça leur arrivait, comme à tous les couples, répondit Austin. Mais il était incapable de lui faire du mal. »

Nick jeta un regard désapprobateur à son ami. « Croyez-moi, je ne sais pas ce qui est arrivé à Amanda, mais Jeff n'y est pour rien. Quand elle a disparu, il était anéanti.

— Jusqu'à ce qu'il entame une relation avec Meghan », dit Alex.

Nick s'empourpra. « C'est injuste. Que vouliez-vous qu'il fasse, qu'il devienne moine ? Cela vous étonne qu'il soit tombé amoureux d'une fille pour qui Amanda éprouvait de l'affection et du respect ?

— Excusez-le, observa Austin. Nick ne supporte pas qu'on s'en prenne à Jeff. »

Laurie crut déceler une pointe de jalousie dans sa voix.

« Bien. Vous avez tous les deux affirmé que la dernière fois que vous avez vu Amanda, c'était vers dix-sept heures, après avoir fini les photos de groupe. »

Ils confirmèrent l'emploi du temps qu'ils avaient donné à la police. Après les prises de vue, ils avaient passé une heure au bar avant de monter dans leur chambre. Ils s'étaient retrouvés peu avant vingt heures dans le hall puis étaient allés dîner au Steak & Claw, où le repas s'était achevé vers vingt-deux heures. Henry les avait quittés et ils étaient restés sur place pour prendre un digestif. Puis ils avaient bu un dernier verre dans la chambre de Jeff et regagné leurs chambres vers vingt-trois heures.

— Vous étiez là plus ou moins à l'heure à laquelle Amanda et ses amies sont rentrées à l'hôtel, n'est-ce pas ? Les avez-vous croisées ? »

Nick secoua la tête. « Non, je n'ai pas revu Amanda après la séance de photos. »

Austin donna la même réponse.

Laurie écoutait attentivement Alex leur asséner ses questions.

« Si je comprends bien, vous avez quitté la chambre de Jeff pour aller vous coucher à vingt-trois heures. Ça ne fait pas un peu tôt pour deux célibataires qui aiment faire la fête ?

— Nous étions rentrés tard, la veille. On avait passé la journée au soleil. On avait beaucoup bu avant et pendant le dîner et aussi dans la chambre de Jeff. » Nick se tourna vers Austin. « Toi, je ne sais pas, mais moi j'étais crevé. »

Austin s'empressa d'acquiescer, comme d'habitude. « J'en avais assez. Je suis allé directement dans ma chambre et je me suis couché.

— Bien, revenons au moment que vous avez passé avec Jeff dans sa chambre. Vous m'avez affirmé l'un et l'autre que Jeff avait exprimé des réserves sur son mariage avec Amanda. Que vous a-t-il dit exactement ?

— Je lui ai demandé en plaisantant s'il avait des doutes, dit Nick. Et à notre grande surprise, il a répondu oui.

— Et après ? »

Cette fois, ce fut Austin qui répondit : « Jeff nous a confié qu'Amanda voulait qu'il change de boulot. Qu'il avait trop de talent pour perdre son temps à gagner une misère en restant avocat commis d'office. Jeff lui a répondu que ça lui plaisait, qu'il aimait aider les gens et qu'il était doué.

— Et qu'avez-vous répondu à cela ? demanda Alex

— On a préféré en rire, répondit Nick. Je lui ai fait remarquer que, dès qu'on les épouse, les femmes veulent tout diriger. Il n'avait qu'à s'y faire.

— Et quelle a été la réaction de Jeff ?

— Il a ri avec nous, dit Nick. Mais on a eu l'impression qu'il regrettait d'avoir abordé le sujet. Juste après, on s'est quittés et on est montés dans nos chambres.

— Vous avez donc regagné vos chambres respectives à vingt-trois heures et vous affirmez que vous n'en avez pas bougé de la nuit. C'est bien cela ?

— Oui, répondirent-ils en chœur.

— Et, à votre connaissance, Jeff n'avait pas l'intention de ressortir de sa chambre à ce moment-là ?

— Tout à fait.

— Est-il exact d'affirmer que personne ne peut confirmer qu'à partir de onze heures du soir, l'heure approximative à laquelle Amanda a été vue pour la dernière fois, vous étiez dans votre chambre, et ce jusqu'au lendemain matin ? »

Austin eut l'air furieux. « Sans doute. » Nick acquiesça d'un signe de tête.

« Saviez-vous à l'époque que, dans son testament, Amanda léguait à Jeff deux millions de dollars sous forme de trust ?

— Nous l'avons appris après sa disparition, répondit Nick.

— Pensez-vous qu'Amanda ait parlé à Jeff de cet héritage éventuel ? »

Les deux hommes se regardèrent. « C'est tout à fait possible », dit Austin à mi-voix.

Laurie voyait qu'ils auraient bien voulu se porter garants pour leur ami, mais ne le pouvaient pas. Il y avait un fait indéniable : c'était à Jeff que la disparition d'Amanda profitait le plus.

« Maman, les dames là-bas boivent du Martini bleu. » Timmy montrait un groupe de quatre femmes. Leur cocktail avait une couleur de liquide vaisselle. « Tu ne prendrais jamais ça. Toi, tu aimes le Martini dry. »

Le regard d'Alex pétilla derrière ses lunettes. « Je vois que Timmy connaît bien sa mère. »

Laurie et Alex avaient remis à plus tard leur projet de dîner en tête à tête dans un trois-étoiles du Michelin car Timmy les avait suppliés d'aller au restaurant de sushis de l'hôtel. Leo ne supportait pas l'idée de manger du poisson cru. Il disait que c'était de la bave de mer.

En revanche, Timmy faisait preuve d'encore plus d'audace que Laurie en matière de sushis. Mais elle soupçonnait que ce qui suscitait un tel enthousiasme chez son fils, ce n'était pas tant le menu du restaurant que les deux comptoirs-aquariums disposés en L où nageaient des poissons.

Alex s'apprêtait à prier l'hôtesse de leur trouver une table quand Timmy demanda s'ils pouvaient s'asseoir au bar. « Tu dis toujours qu'il faut tenter de nouvelles expériences, plaida-t-il. On n'a pas ça chez nous. »

Alex lui apprit la mauvaise nouvelle. « Tu es encore un peu jeune, mon pote. Tu pourras réessayer d'ici une douzaine d'années.

— J'ai hâte d'être assez grand pour m'asseoir au bar.

— Voilà des paroles que toute mère rêve d'entendre », répondit Laurie d'un ton pince-sans-rire. « Je ne tiens pas à ce qu'il finisse comme nos deux piliers de bar, Austin et Nick. »

Une fois attablés, Alex dit : « En parlant de nos deux Roméo, qu'est-ce que tu as pensé de l'interview, aujourd'hui ? »

Elle haussa les épaules. « Ils sont exactement comme Sandra nous les avait décrits. Personnellement, ils me laissent indifférente, mais Brett sera content. Au moins, ils sont divertissants, c'est bon pour l'émission.

— Assez parlé d'eux, soupira Alex. Alors, comme ça, Leo est vraiment convaincu que le photographe stagiaire est coupable. »

En l'absence de nouveaux éléments, Laurie n'avait pas envie d'évoquer à nouveau le sujet. « Je sais bien que, d'après toi, il tire des conclusions hâtives. Il vaut peut-être mieux laisser ça de côté pour le moment. »

Quand ils traversèrent le hall de l'hôtel, un peu plus tard, Timmy demanda s'il pouvait jouer un moment dans la chambre de son grand-père. Laurie acquiesça, heureuse d'avoir un peu plus de temps avec Alex.

46

Laurie fut stupéfaite lorsque Charlotte arriva sur le plateau de tournage installé dans la cour, derrière l'hôtel. Elle était vêtue d'un tailleur blanc admirablement coupé assorti d'un haut en soie noire. Elle était idéalement coiffée et maquillée pour passer devant les caméras et ne ressemblait en rien à la femme qu'elle avait rencontrée chez Ladyform.

« Vous avez l'air surprise », lui dit Charlotte en s'installant confortablement dans le canapé qu'ils avaient disposé pour l'occasion. « Vous ne croyiez tout de même pas que j'allais apparaître sur une chaîne nationale avec une allure de vilain petit canard ? »

Alex prit place, fit un signe de tête et les caméras se mirent à tourner.

Cinq minutes plus tard, Laurie regarda sa montre. Charlotte avait déjà répété les informations qu'elle lui avait données lors de leur entrevue à New York. C'était une femme d'affaires qui avait l'habitude de communiquer avec efficacité.

Mais un des talents d'Alex était de savoir poser des questions auxquelles ses interlocuteurs ne s'attendaient pas. « Quel effet cela faisait d'être la sœur d'Amanda Pierce ? demanda-t-il d'un ton désinvolte.

— Je ne vois pas ce que vous voulez dire. C'est comme si vous me demandiez quel effet cela fait de respirer. Je n'avais pas d'autre sœur.

— Pourtant, j'ai l'impression que si on vous posait la question, vous sauriez dire ce que cela fait de respirer. »

Charlotte esquissa un sourire. Laurie l'entendit presque se résigner à jouer le jeu. « Bon, d'accord. C'était comme si j'étais la mauvaise herbe qui pousse au pied de la rose. Dans une autre famille, j'aurais été une star. Je suis sortie major de ma promotion à l'université de Caroline du Nord. Je suis quelqu'un de bien. Je travaille dur. Mais Amanda était à part. Les hommes rêvaient de l'épouser. Les femmes rêvaient d'être comme elle. Elle savait plaire.

— Les amis de Jeff ont eu l'impression que vous n'étiez pas particulièrement heureuse à l'idée de ce mariage. Vous y étiez indifférente, pour reprendre le terme employé par l'un d'eux.

— Premièrement », dit Charlotte avec un geste de dédain, « les amis de Jeff sont des imbéciles. Deuxièmement, je n'étais pas indifférente, j'étais inquiète. Non pas pour Amanda mais pour Jeff. Je craignais qu'il ne commette une erreur. J'aimais ma sœur, mais j'étais sans doute la seule à la connaître vraiment. On aurait dit une princesse de conte de fées, avec des petits oiseaux bleus qui lui brossaient les cheveux. Mais elle était rusée. Ambitieuse. En soi, il n'y a rien de mal à ça, mais elle cachait son jeu derrière une image lisse de douceur et de gentillesse. »

Laurie était fascinée par la description de Charlotte. Elle paraissait totalement sincère.

« Pourquoi étiez-vous inquiète pour Jeff ? demanda Alex.

— Parce qu'il ne savait pas dans quoi il s'engageait. Il sortait depuis peu de temps avec Amanda quand elle est tombée gravement malade. Elle était si faible, ajouta-t-elle tristement. C'est la seule fois de sa vie où elle a été vulnérable, mais ça l'a endurcie plus qu'autre chose. Elle l'aurait tyrannisé, forcé à changer comme elle avait changé Ladyform. Pour elle, un mari avocat commis d'office n'incarnait pas exactement la réussite. »

Alex se pencha vers Charlotte. « Soupçonnez-vous Jeff Hunter d'être responsable de la disparition de votre sœur ? »

Elle observa un long silence avant de répondre : « Ça dépend.

— De quoi ?

— S'il avait compris ou non qu'il allait se retrouver sous sa coupe comme je l'ai toujours été. »

Leo se réveilla frais et dispos. Ce lit est fabuleux, se dit-il. Cela faisait dix ans qu'Eileen était décédée. Depuis, sauf quand il partait en voyage avec Laurie ou occupait sa chambre d'amis, il dormait dans le même lit. Il était peut-être temps de changer de matelas. Une fois rentré à New York, il y réfléchirait… peut-être.

Il regarda le réveil. Déjà dix heures. Il vit un mot glissé sous la porte de communication entre sa chambre et celle de Laurie et Timmy. Au moment où il se pencha pour le ramasser, il sentit ses muscles le tirailler à l'arrière des cuisses. Il était en bonne forme pour ses soixante-quatre ans, mais il fallait qu'il fasse plus d'étirements. *J'ai préféré vous laisser faire la grasse matinée, tous les deux*, disait le mot. *Timmy sait qu'il doit frapper à ta porte quand il se réveillera.*

Timmy était grand, maintenant. Il était capable de dormir jusqu'à midi si on ne le réveillait pas.

Leo alla jusqu'au petit bureau, dans le coin de la chambre, ouvrit l'ordinateur portable que Laurie lui avait offert pour son anniversaire et cliqua sur le navigateur. Il avait quelques minutes devant lui pour se livrer à son passe-temps préféré. Il tapa facebook.com sur la page de recherche. C'est Grace qui l'avait initié à la « cybertraque », comme elle disait. Du temps où il était dans la police, il fallait frapper aux portes et battre le pavé pour récolter des informations. Mais aujourd'hui, les gens racontaient leur vie en détail sur les réseaux sociaux, y compris ce qu'ils prenaient au petit déjeuner.

Il tapa « Carly Romano » dans la barre de recherche Facebook. Il avait lu récemment que les familles et les amis des défunts conservaient de plus en plus leur page Facebook pour que leurs proches puissent y poster des souvenirs. Sans surprise, il trouva le mur de Carly Romano, avec un message vieux de deux mois à peine, signé Jenna Romano : *Bon anniversaire, sœurette. Tu es toujours dans mon cœur, bisous.*

Il avait appelé la police de Waterville et reçu confirmation que le meurtre de Carly n'était toujours pas élucidé. D'après l'inspecteur qu'il avait eu au téléphone, le principal suspect était son ancien petit ami du lycée, dans le Michigan. Durant sa première année d'études, ils avaient essayé de maintenir une relation malgré la distance, mais Carly avait rompu avec lui quand elle était retournée à l'université pour sa deuxième année. Il avait mal réagi. Mais, la police n'ayant rien pu prouver, ce soupçon n'avait jamais été rendu public.

C'était une affaire idéale pour l'émission de Laurie.

Leo parcourut les photos du profil de Carly, espérant en trouver une de l'ex-petit ami. Il regarda les dates. Il en était encore aux années d'université. Il fallait qu'il remonte à l'époque du lycée.

Il ne put s'empêcher de remarquer que sur toutes les photos, Carly avait l'air joyeuse et pleine d'entrain. Elle avait de beaux cheveux bruns et de grands yeux marron. Elle était toujours souriante. Il faisait défiler les photos si rapidement qu'il faillit rater un visage familier.

Il revint deux pages en arrière. La légende de la photo disait « Soirée DJ au Bob-In ! » Carly regardait l'objectif. Le garçon qui l'enlaçait sur la banquette… Il était plus jeune à l'époque, se dit Leo, mais aucun doute, c'est bien lui.

Plus jeune, mais reconnaissable. Il le repéra sur deux autres clichés pris quelques jours après.

Il alla dans sa boîte mail et trouva le calendrier de tournage que Jerry avait envoyé à tout le monde avant de partir. Alex devait interviewer Charlotte à neuf heures dans la cour de l'hôtel, puis Kate à dix heures et demie. S'il se dépêchait, il pouvait peut-être profiter d'une pause entre les deux pour voir Laurie.

Leo attendit que Charlotte Pierce ait quitté le plateau. Laurie sourit en voyant arriver son père, puis la panique envahit son visage. « Où est Timmy, papa ? Tu n'as pas vu mon mot ?

— Il va bien. Je l'ai réveillé et il s'habille pour le petit déjeuner dans ta chambre. »

Ils avaient vécu cinq ans sous la menace d'un tueur qui avait averti qu'il reviendrait un jour assassiner Laurie et son fils. Ce genre de peur a la vie dure. « Alex n'avait peut-être pas tort de dire que je tirais des conclusions hâtives, au sujet de Jeremy Carroll. Il faut que tu voies ça. » Il ouvrit l'écran de son ordinateur portable.

Laurie resta bouche bée. « C'est… ? Mais oui, c'est lui. »

Il cliqua sur deux autres photos. « Là, il l'enlace. Et tu as vu comme il la regarde, sur celle-là ! Jeff devait sortir avec Carly Romano. Amanda n'était peut-être pas sa première victime. »

48

Jerry faisait signe à Laurie. « Tout va bien ? Tout est prêt, de notre côté. » Ils avaient prévu d'interviewer Kate Fulton après Charlotte Pierce.

« Une seconde. » Elle se tourna vers son père. « Il vaut mieux ne pas ébruiter ta découverte pour l'instant, papa. Si jamais Jeff apprend que nous avons établi un lien entre Carly Romano et lui, il risque de paniquer. On est censés l'interviewer cet après-midi. »

Leo hocha la tête. « D'accord. »

Laurie se dirigea vers le plateau en souriant tranquillement à Kate et expliqua qu'elle avait juste un mot à dire à Alex avant de commencer. Ce dernier la connaissait suffisamment pour comprendre qu'il y avait un imprévu. Ils s'éloignèrent des oreilles indiscrètes.

« Tu te rappelles que je t'ai parlé d'une fille assassinée à côté de l'université où ils étaient tous ? » lui dit-elle.

Il acquiesça.

« Papa a trouvé sur Internet des photos de Jeff et de Carly Romano. La victime. Il se peut qu'il soit sorti avec elle.

— Comment se fait-il que personne n'en ait parlé ? » demanda aussitôt Alex.

Laurie haussa les épaules, elle-même essayait de comprendre. « Les filles n'étaient probablement pas au courant ; Kate a dit qu'elles n'étaient pas amies avec Carly et ne connaissaient pas très bien Jeff à cette époque-là. Mais les copains de Jeff devaient le savoir.

— Je dois poser la question à Kate ? Ou est-ce qu'il vaut mieux attendre de l'interviewer, lui ?

— N'en parle pas à Kate. Je veux être sûre de prendre Jeff par surprise tout à l'heure. »

Grace s'avançait vers eux dans une robe ultra-courte qui dévoilait ses jambes bronzées.

« Tout va bien ? J'ai dit à Jerry de se calmer, mais c'est vrai que tu as l'air inquiète. »

Grace avait le don presque surnaturel de déchiffrer les états d'âme de Laurie.

« On est prêts », répondit Alex d'un ton décidé. Il pressa la main de Laurie. Ne t'inquiète pas, se rassura-t-elle. Alex est un pro. Il va s'en sortir à merveille.

« Bien, Kate, vous nous avez dit qu'Amanda avait exprimé des doutes concernant son mariage ? Pouvez-vous me répéter exactement ses paroles ? » demanda Alex d'un ton incisif.

Kate pinça les lèvres, visiblement concentrée. « Je ne m'en souviens pas mot pour mot, mais nous étions seules à la piscine et elle m'a demandé s'il m'était arrivé de penser que je m'étais peut-être mariée trop jeune. Elle voulait savoir si j'avais des regrets, si cela ne m'avait pas empêchée de vivre des expériences – ce genre de choses. Elle m'a même demandé si, d'après moi, il était trop tard pour tout annuler.

— Cela fait plutôt penser à une appréhension de dernière minute, dit Alex. Elle a vraiment évoqué la possibilité de renoncer à ce mariage ?

— Elle n'a pas dit ça, mais je me souviens qu'elle m'a demandé : "Quel effet ça ferait, à ton avis, si j'arrêtais tout maintenant ?" Je lui ai répondu que c'était normal d'avoir des hésitations, mais qu'elle ne devait pas se marier uniquement pour ne pas faire de peine aux autres.

— Si vous dites vrai, Kate, vous êtes la seule personne, à notre connaissance, à qui Amanda ait exprimé des réticences. Pardonnez-moi, mais Meghan n'était-elle pas plus proche d'Amanda que vous ? Comment se fait-il qu'Amanda ne se soit pas confiée à elle ? »

Kate haussa les épaules. « Je ne sais pas. Peut-être parce que Jeff et elle étaient amis ? Amanda craignait peut-être qu'elle lui en parle.

— Êtes-vous sûre que c'est la seule explication ? » insista Alex.

Kate toussota. « Il est possible qu'au fil des années, je me sois laissée aller à lui confier que je me demandais parfois si je ne m'étais pas mariée trop jeune. Que je m'imaginais ce qu'aurait été ma vie si j'étais

partie à l'aventure quelque temps. Mais quand elle m'a posé la question, je lui ai répondu que j'aimais mon mari et mes enfants. Comment pouvais-je avoir des regrets ? Ensuite, lorsque je lui ai demandé si elle hésitait vraiment à épouser Jeff, elle est restée évasive.

— Comment cela ? » demanda Alex.

Laurie se pencha en avant, ne voulant pas rater la moindre syllabe, la moindre expression sur le visage de Kate.

« Elle a dit qu'il y avait un problème – elle est restée très vague – et qu'elle avait besoin d'en savoir plus avant de prendre sa décision.

— Qu'avait-elle besoin de savoir, au juste ?

— Je n'en ai aucune idée. Elle a refusé de m'en dire plus.

— Était-ce à propos de Jeff ? suggéra Alex. Avait-elle l'intention de lui parler ?

— Honnêtement, je ne sais pas », répondit Kate.

Alex se tourna vers Laurie pour savoir s'il devait insister. D'un léger signe de tête, elle lui indiqua de s'en tenir là. Elle ne voulait pas que Kate prévienne Jeff que leurs soupçons s'orientaient vers lui. Alex s'apprêtait à conclure l'interview quand Laurie vit Sandra Pierce se diriger d'un pas vif vers le hall de l'hôtel, un mouchoir à la main, son ex-mari derrière elle. Que se passait-il ? Une minute plus tard, Henry, le frère d'Amanda, apparut par la même porte et courut vers Laurie.

« Maman m'a dit de vous prévenir. La police a retrouvé un corps, ils pensent que c'est celui d'Amanda. »

49

L'inspectrice s'appelait Marlene Henson. Laurie se rappelait que Sandra l'avait mentionnée la première fois qu'elle était venue la voir au studio. Petite, à peine plus d'un mètre cinquante-cinq, elle avait de longs cheveux roux et les joues rondes. Elle était campée sur ses pieds largement écartés, solide comme un tank.

« Vous êtes sûre, vous ne préférez pas que l'on s'en tienne strictement aux membres de la famille, Sandra ? » demanda l'inspectrice. Laurie crut déceler une pointe d'accent du Vieux Sud.

Toute la famille Pierce était rassemblée dans la suite de Walter. Laurie sentit soudain tous les regards se tourner vers Alex et elle, côte à côte près de la porte. C'étaient eux les intrus.

« Je tiens à ce que Laurie et Alex soient là, déclara Sandra. C'est grâce à leur émission que nous avons enfin retrouvé Amanda. Ils font tout pour nous aider, je le sais.

— Mais ce sont aussi des journalistes. Il y a des éléments que nous ne pouvons divulguer au public sans risquer de compromettre l'enquête.

— Nous ne sommes pas des journalistes comme les autres, intervint Laurie. Tout ce qui se dira dans cette pièce restera entre nous. Vous avez ma parole.

— Et, contrairement à la police, dit Alex, tous les amis et les proches des mariés et Jeff lui-même ont signé un accord stipulant qu'ils acceptent de parler de leur plein gré. Pas de garde à vue, pas de droit à garder le silence ou de se faire assister d'un avocat. Cela peut servir. »

Marlene Henson regarda de nouveau Sandra et parut satisfaite. Sandra avait encore les yeux rougis et gonflés par les larmes, mais elle semblait prête à affronter la réalité. Walter passa un bras autour de son épaule.

« Vous êtes sûre qu'il s'agit du corps de ma fille ? demanda-t-elle d'une voix étonnamment calme.

— Permettez-moi de vous expliquer. Nous avons reçu un appel anonyme hier soir au commissariat, juste avant minuit. La voix était déguisée. À ce stade, nous ne savons même pas s'il s'agit d'un homme ou d'une femme. L'individu a fourni des informations précises sur le lieu où était enterrée votre fille. »

Walter fit la moue. « Cela fait plus de douze heures. Personne n'a pensé à nous prévenir.

— Nos services voulaient tout d'abord effectuer des recherches. Je ne voulais pas vous bouleverser inutilement si c'était une blague, mais nous avons agi aussitôt. L'adresse mentionnée par l'individu correspondait à un parking situé en face de l'église St Edward, à trois kilomètres d'ici. La dalle du parking a été rénovée à l'époque de la disparition d'Amanda. Les indications sur l'emplacement du corps de votre fille étaient très précises.

« Nous avons fait venir sur place un géoradar, au milieu de la nuit. En nous basant sur ce que nous avons vu sur le radar, nous avons entamé les fouilles dans le parking au lever du soleil et, malheureusement, nous avons bel et bien localisé une dépouille à cet emplacement. Nous allons procéder à d'autres analyses afin de confirmer qu'il s'agit bien de votre fille, mais nous avons trouvé ceci à l'annulaire de sa main gauche. »

L'inspectrice tendit à Sandra une photo de deux bagues en platine : une bague de fiançailles classique ornée d'un solitaire et une alliance. La monture était incrustée de terre.

« Je crois qu'elles sont à elle, dit Sandra. Sur la bague de fiançailles, il était gravé : A et J... »

Marlene Henson acheva la formule en même temps qu'elle : « ... *Semper amemus.*

— Cela signifie "Que notre amour soit éternel" en latin, expliqua Sandra en réprimant un sanglot. C'est notre fille, il n'y a aucun doute. C'est ma petite fille. C'est Amanda. »

Walter la prit dans ses bras et elle posa la tête sur son épaule.

« Je suis vraiment navrée de vous apporter cette triste nouvelle, dit l'inspectrice à mi-voix. Je vais vous laisser en famille. J'ai toujours espéré que cela se finirait autrement. »

En se dirigeant vers l'ascenseur, Laurie demanda à l'inspectrice si elle pouvait lui accorder un instant. « Il faut que vous sachiez quelque chose au sujet de l'alliance que vous avez retrouvée sur le corps d'Amanda. Jeff nous a dit qu'en rentrant à New York, les alliances n'étaient pas dans ses bagages. La disparition d'Amanda l'avait plongé dans un tel désarroi, selon lui, qu'il ne s'était pas rendu compte qu'elles n'étaient plus là.

— Je me suis demandé pourquoi elle portait son alliance alors qu'elle n'était pas encore mariée.

— Elle ne la portait pas, dit Alex. Leurs deux alliances étaient censées rester dans le coffre de Jeff jusqu'à la cérémonie. Et une des amies d'Amanda vient de nous dire qu'elle hésitait à se marier. Elle lui a confié qu'elle avait besoin d'en savoir plus avant de prendre la décision de maintenir ou non la cérémonie. »

Marlene Henson haussa les sourcils. « Voilà qui est intéressant, en effet. Sandra m'a déjà parlé du testament. Maintenant que nous avons retrouvé le corps, Jeff va enfin pouvoir toucher l'argent sans risquer d'attirer les soupçons en faisant établir son décès légalement. »

Laurie vit les pièces du puzzle s'assembler. « Si Amanda est montée dans la chambre de Jeff à la fin de la soirée, elle a peut-être voulu essayer son alliance pour voir ce qu'elle ressentait. Si elle a changé d'avis et décidé de tout annuler, ils se sont peut-être disputés. Jeff a pu la tuer et l'enterrer sans penser à lui enlever l'alliance. »

Comme d'habitude, Alex suivait son raisonnement pas à pas. « En s'apercevant de son erreur, il aurait déclaré le vol des alliances auprès de son assurance en rentrant à New York pour camoufler le fait que celle d'Amanda avait disparu. »

L'inspectrice sourit. « Je vous remercie de m'avoir communiqué ces informations, mais ce n'est pas à vous de faire le travail de la police.

— Vous êtes sûre ? répliqua Alex. Parce que nous sommes censés interviewer le principal suspect dans une demi-heure, et pour l'instant, il ignore que vous avez retrouvé Amanda avec l'alliance au doigt. Et vous pouvez compter sur moi pour l'interroger là-dessus. »

Jeff avait belle allure en costume d'été beige et nœud papillon à carreaux. Ils lui avaient demandé de porter une tenue similaire à celle qu'il avait prévue pour le jour de la cérémonie. Il montrait à Alex la pergola installée au bord de la mer où ils devaient échanger leurs consentements devant leur famille et leurs plus proches amis.

« C'est un décor merveilleux, observa Alex. Je ne peux pas m'empêcher de vous demander pour quelle raison vous avez choisi de vous chausser de manière aussi peu conventionnelle ? »

Un des cameramen s'approcha avec une petite caméra vidéo pour filmer en gros plan les sandales de Jeff.

« Amanda aimait l'idée de se marier sur la plage, l'après-midi. Mais être en talons dans le sable l'effrayait un peu. Quand je lui ai proposé que l'on mette des tongs pour la cérémonie et que l'on encourage les invités à faire de même, elle a été ravie. Il suffisait qu'elle change de chaussures après

et mette ses Jimmy Choo en satin blanc pour la réception. »

Laurie glissa un sourire complice à la femme qui lui tendait la bouteille d'eau qu'elle avait demandée. Quand l'inspectrice avait annoncé la nouvelle à la famille Pierce, elle semblait tout droit sortie d'un casting de série policière. Mais en jeans et tee-shirt *Suspicion*, elle se fondait parfaitement dans l'équipe de télévision. Alex avait réussi à la convaincre qu'il était dans l'intérêt de la police de ne pas bouleverser le calendrier de tournage. Jusque-là, la police était parvenue à éviter que la nouvelle de la découverte d'un corps sous le béton d'un parking ne filtre dans les médias.

Si Jeff était l'auteur de l'appel anonyme, il savait peut-être qu'ils avaient déjà effectué des fouilles. Mais il n'avait aucun moyen d'être sûr qu'ils avaient localisé le corps d'Amanda ou son alliance. Ils étaient encore en position de force.

Jeff était visiblement à son aise devant les caméras et redisait à Alex toute l'admiration qu'il avait pour ses talents d'avocat.

« Espérons que vous n'aurez pas changé d'avis à la fin de cette interview, dit Alex d'un ton ironique. Tout d'abord, il y a un point que je souhaiterais clarifier tout de suite. Vous avez épousé la meilleure amie d'Amanda, Meghan, quinze mois à peine après avoir failli épouser Amanda. Vous deviez vous douter que cela en ferait tiquer plus d'un.

— Naturellement. C'est bien pour cela que nous nous sommes mariés dans l'intimité et que nous ne

271

l'avons annoncé qu'à quelques proches. Mais nous étions très amoureux. Ce mariage était une façon pour nous de nous rappeler que la vie continuait et qu'il fallait tourner la page. Et cette page, nous voulions la tourner ensemble.

— Vous ne trouvez pas que cela dénote une forme d'indifférence ?

— C'est peut-être l'impression que cela donne, mais ce n'est pas le sentiment que nous avions. Nous aimions tous les deux Amanda. C'est sa disparition qui nous a rapprochés. Nous nous sommes soutenus mutuellement dans l'épreuve.

— Vous affirmez donc publiquement qu'il n'y avait rien entre vous et Meghan avant la disparition d'Amanda ?

— Je le jure, répondit Jeff en levant la main solennellement.

— Votre femme nous a dit qu'Amanda avait changé après avoir guéri de son cancer. Qu'elle était devenue plus dure. Moins patiente. Elle a même employé le mot d'égoïste, il me semble. La sœur d'Amanda partage cette impression. Cela devait créer des tensions dans votre couple.

— Je doute que Meghan ait voulu employer ce terme, mais c'est vrai qu'après le traitement, Amanda n'était plus la même. Quand on a frôlé la mort aussi jeune, c'est normal d'être profondément marqué. Cela n'a fait que renforcer mon admiration pour elle. Elle était décidée à prendre la vie à bras-le-corps.

— Un de vos amis nous a confié qu'il vous arrivait de vous disputer, tous les deux.

— Oui, bien sûr, comme tous les couples. Mais pas plus que ça. Tout n'était pas parfait entre nous, je le reconnais, surtout depuis qu'elle avait surmonté la maladie. On est tombés amoureux alors qu'elle était malade. Quand elle a commencé à aller mieux, elle n'était plus aussi dépendante de moi et nous avions parfois du mal à trouver un équilibre dans notre couple. C'était fou, on aurait dit que la maladie avait laissé comme un vide.

— Amanda a même confié à Kate qu'elle songeait à renoncer au mariage. »

Jeff parut surpris. « Je ne comprends pas. Nous étions tellement heureux de nous marier.

— Amanda lui a dit qu'il y avait un problème et qu'elle devait en savoir plus. Êtes-vous sûr de ne pas avoir revu Amanda après avoir chacun dit adieu à vos vies de célibataires ?

— Évidemment que j'en suis sûr.

— Changeons de sujet et parlons de vos alliances. C'est vous qui les conserviez jusqu'à la cérémonie ? »

Jeff ne parut pas ébranlé le moins du monde par la question. « Oui, elles étaient dans le coffre de ma chambre, mais elles ont été volées à un moment ou à un autre durant le séjour.

— Quand vous rappelez-vous les avoir vues pour la dernière fois ?

— Voyons voir, ce doit être le jour où Amanda a disparu. Le photographe a pris des premières photos

273

de nous tous, puis deux ou trois clichés des alliances dans ma chambre.

— Et vous les avez remises dans le coffre, après ?

— Oui, j'en suis sûr.

— Et à aucun moment Amanda n'est retournée dans votre chambre après cela ?

— Non. Vous me posez beaucoup de questions sur les alliances. Elles n'avaient pas beaucoup de valeur. Je n'avais pas les moyens d'en acheter de plus chères. Pourquoi vous intéressent-elles à ce point ? »

Laurie eut froid dans le dos. Jeff les mettait-il à l'épreuve ? En regardant Alex, elle se promit de ne jamais jouer au poker avec lui. Son expression était totalement indéchiffrable.

« Meghan suggère qu'elle les a peut-être emportées en souvenir avec elle. »

Jeff hocha la tête, apparemment satisfait de cette explication. « Elle m'a parlé de cette possibilité, en effet. Elle veut croire à tout prix qu'Amanda est encore en vie et qu'elle fabrique du fromage dans une ferme du Montana. Ce serait bien, non ?

— Amanda n'est pas la seule femme de votre entourage à avoir disparu, n'est-ce pas ?

— C'est quoi cette question ? Évidemment que c'est la seule.

— Nous nous sommes penchés sur le meurtre d'une certaine Carly Romano. C'était une étudiante de deuxième année à Colby, quand vous étiez en troisième année. Elle a disparu et son corps a été retrouvé deux semaines plus tard. D'après le médecin légiste, elle avait été étranglée. Ceci est bien une photo de vous et Carly prise trois mois avant sa mort ? »

Jeff devint cramoisi. « Vous ne suggérez tout de même pas que...

— Je n'ai fait que vous poser une question, Jeff.

— C'est insensé. Colby est une petite université, huit cents étudiants tout au plus. Tout le monde connaissait tout le monde.

— Mais vous enlacez Carly, sur cette photo. Vous semblez très amoureux.

— Ça n'a rien à voir avec la réalité. Ce devait être au Bob-In, à côté de la fac, c'était un repaire d'étudiants. Je crois me souvenir que Nick voulait draguer une de ses copines. Je ne sortais pas avec elle, ni rien.

— Il y a d'autres photos de vous deux ensemble.

— C'est probablement les seules fois où on s'est retrouvés tous les deux. Carly était une des plus belles filles du campus. Dans les soirées, tout le monde flirtait avec elle, mais en ce qui me concerne, il n'y avait rien de sérieux, on faisait la fête entre étudiants, c'est tout. C'est ridicule. Cela fait des années que les gens me soupçonnent d'avoir tué la femme que j'aimais, seriez-vous en plus en train d'insinuer que je suis un tueur en série ? »

Alex laissa le silence s'installer. Quand il reprit la parole, Jeff était blême.

« J'ai quelque chose à vous dire, Jeff. La police a retrouvé le corps d'une femme, ce matin, enterré sous un parking qui était en chantier à l'époque où Amanda a disparu. »

Jeff ouvrit la bouche et la referma comme une marionnette. « C'est Amanda ?

— Le corps n'a pas encore été formellement identifié, mais ils ont retrouvé ce qui semble être sa bague de fiançailles.

— *Semper amemus* ? murmura-t-il. C'était l'inscription qui y était gravée.

— Oui, répondit Alex, c'est sa bague. Et ce n'est pas la seule. La police a également retrouvé une alliance assortie, celle que vous dites avoir vue pour la dernière fois dans votre chambre d'hôtel. »

Jeff se leva, arracha son micro et quitta précipitamment le plateau.

52

Une heure plus tard, Laurie faisait encore les cent pas dans la suite d'Alex.

« Laurie, dit Alex, visiblement inquiet, je ne t'ai jamais vue si nerveuse. Tu vas finir par faire un trou dans la moquette si tu continues. »

Il y avait avec eux le père de Laurie et Marlene Henson. Jerry était sorti avec l'équipe de tournage qui filmait les alentours pour illustrer les commentaires entre les interviews. Laurie avait demandé à Grace de s'occuper de Timmy pour permettre à son père d'assister à la réunion avec l'inspectrice.

« Tu as raison. Je suis un vrai paquet de nerfs. Ne devrions-nous pas avertir Sandra et Walter de ces derniers développements ? »

Jusque-là, seule la production était au courant de la découverte de l'alliance trouvée sur le corps d'Amanda et des liens de Jeff avec Carly Romano.

Leo saisit la main de Laurie au moment où elle passait près de son fauteuil. « Cesse de t'agiter. L'inspectrice sait ce qu'elle fait et en ce qui me concerne, si je peux donner mon avis, j'agirais comme elle. Quand on est sur une enquête, on ne peut pas tenir la famille informée au fur et à mesure. »

Alex avait réussi à obtenir de Jeff des informations intéressantes. Il avait admis qu'il connaissait Carly, et il s'en était tenu à son histoire au sujet des alliances. Mais l'inspectrice ne pouvait procéder à une arrestation avant que le médecin légiste ait terminé l'autopsie susceptible de prouver que Jeff était impliqué dans le meurtre d'Amanda.

Henson s'était changée et portait à nouveau son tailleur-pantalon noir. « J'ai placé des hommes en civil dans tout le domaine et signalé Jeff Hunter à toutes les compagnies aériennes, les sociétés de location de voitures et au réseau d'Amtrack. S'il tente de s'enfuir avant le jour de la réservation de son vol pour New York, nous saurons à quoi nous en tenir.

— Et quand il sera de retour à New York ? demanda Alex.

— Nous nous en occuperons le moment venu, mais faites-moi confiance, nous ne le perdrons pas de vue.

— Très bien, dit Leo. Si nous avons raison, cela fait trop longtemps que Jeff s'en tire à bon compte.

— Il y a une chose que je ne comprends toujours pas, dit Laurie, recommençant à faire les cent pas. Est-ce réellement Jeff qui a appelé la police ? Mais pourquoi nous aurait-il indiqué l'endroit où se trouvait le corps ? Il aurait dû se douter que la présence de l'alliance ne ferait qu'attirer l'attention sur lui.

— La même pensée m'a traversé, dit Alex. Mais j'ai eu des clients qui savaient très bien calculer les avantages et les inconvénients de leurs choix. Jeff peut avoir pensé que l'alliance ne serait pas une preuve suffisante pour le confondre – ce qui est exact. Mais maintenant que le corps d'Amanda a été découvert, il peut enfin hériter du trust sans avoir à intenter une action en justice pour faire déclarer son décès, ce qui le ferait passer pour un vrai salaud aux yeux du public.

— Le trust représentait deux millions de dollars il y a plus de cinq ans », dit l'inspectrice.

Leo laissa échapper un sifflement. « Il vaut probablement beaucoup plus à l'heure actuelle. »

Laurie demanda : « Y a-t-il une possibilité de faire analyser la voix qu'on entend sur la bande pour vérifier si c'est celle de Jeff ? »

Marlene Henson secoua la tête. « On trouve sans mal un appareil qui déforme la voix dans un magasin spécialisé. Comme je vous l'ai dit, la personne qui appelait pourrait aussi bien être une femme. Nous avons retrouvé l'origine de l'appel, il venait d'un téléphone prépayé abandonné. D'après le centre d'information de l'opérateur, l'appel provenait d'un relais du centre-ville. Donc, rien d'utile pour nous, poursuivit-elle. Puis-je vous faire confiance à tous les trois pour garder cet entretien confidentiel ? Ne me faites pas regretter de vous avoir parlé. »

Laurie lui assura qu'ils ne révéleraient pas que l'étau se resserrait autour de Jeff, mais, en refermant la porte derrière l'inspectrice, elle n'arrivait toujours pas à croire que Jeff était l'auteur de ce coup de téléphone. Quelque chose leur échappait.

Comme elle quittait la suite d'Alex en compagnie de son père, elle lui demanda s'il pouvait venir faire un tour avec elle après avoir emmené Timmy au parc aquatique.

« Pas besoin d'attendre, répondit Leo. Je viens de voir Jerry, qui se félicitait d'avoir terminé le repérage des lieux avec l'équipe de tournage. J'ai été très surpris de l'entendre annoncer qu'il était impatient de tester le toboggan géant de la piscine dont Timmy ne cesse de parler.

— Je vais vérifier si Jerry plaisante ou s'il dit ça pour te permettre de rester avec moi.

— J'adore mon petit-fils, mais à soixante-quatre ans je n'ai plus l'âge de faire du toboggan. Laurie, fais donc un break et va passer un peu de temps avec Alex. Je sais que tu as fini les prises de vues de la journée.

— Tu as raison, mais il me reste quelque chose à faire, et je me sentirai plus en sécurité si tu m'accompagnes. Tu as promis que cette fois-ci, ce serait moi qui dirigerais les opérations. »

53

Laurie frappa à la porte d'entrée pour la troisième fois. « Je sais que vous êtes là. » Elle jeta un regard par la fenêtre, mais ne distingua personne dans le salon. En tout cas, Jeremy Carroll ne semblait pas avoir liquidé sa collection de photos.

Elle se dirigea vers l'extrémité de la galerie à l'avant de la maison pour s'assurer que son père n'avait pas bougé de la voiture de location garée de l'autre côté de la rue. Elle voulait qu'il reste en vue au cas où les choses tourneraient mal, mais elle pensait avoir plus de chances de persuader Jeremy Carroll d'ouvrir si elle était seule.

En remontant l'allée menant à la maison, elle avait vu un rideau s'écarter. Elle ne partirait pas avant d'avoir une réponse.

« Je sais que vous n'avez fait aucun mal à Amanda, dit-elle d'une voix forte. Nous vous avons harcelé la dernière fois et je le regrette, mais je crois que vous voulez nous aider. Je vous en prie ! »

La porte d'entrée s'entrebâilla de quelques centimètres. Jeremy lui lança un regard sous sa frange brune en broussaille.

« Sûr que vous êtes seule ? demanda-t-il craintivement.

— Oui, promis. »

Il ouvrit la porte en grand et recula, laissant Laurie pénétrer à l'intérieur. Elle espérait qu'elle ne commettait pas une grossière erreur.

« Je n'ai pas aimé l'homme qui était avec vous », dit-il une fois qu'elle fut assise près de lui sur le canapé du salon. « On aurait dit un policier.

— C'était mon père, dit-elle, espérant qu'il se contenterait de cette réponse. Vous aviez raison de penser que les gens vous soupçonneraient s'ils découvraient que vous preniez des photos d'Amanda et de ses amis à leur insu. Mais je comprends à présent. Vous photographiiez les gens parce qu'ils vous intéressent. Vous voulez les voir dans leurs attitudes les plus naturelles, pas seulement quand ils sourient devant l'objectif.

— Oui, c'est exactement ça. Les visages que les gens affichent pour la galerie sont sans valeur. Je veux photographier la réalité.

— Vous avez dit vous être débarrassé des photos que vous aviez prises de vos voisins après vous être aperçu qu'ils étaient réellement bouleversés. Que sont devenues celles d'Amanda ? »

282

Il la regarda en plissant les yeux, méfiant.

« Je vous ai vu sur les vidéos des caméras de surveillance de l'hôtel. Elle est passée devant vous, et vous avez fait demi-tour pour la suivre. Vous aviez votre appareil. Vous êtes un artiste. Vous avez sûrement pris quelques instantanés.

— Ce ne sont pas des *instantanés*, comme ceux d'un amateur d'Instagram. Ce sont des œuvres d'art.

— Désolée, Jeremy. Ce n'était pas le bon terme. Mais Amanda n'était pas seulement ravissante, c'était une jeune femme intelligente et compliquée. Saviez-vous qu'on avait diagnostiqué chez elle une maladie grave ? »

Il secoua la tête.

« La maladie d'Hodgkin. Elle a été très malade. Elle avait perdu dix kilos et pouvait à peine se lever de son lit.

— C'est affreux, dit-il tristement.

— C'est un cancer qui touche le système immunitaire. Il empêche votre corps de lutter contre l'infection. Elle a eu de la chance d'en guérir complètement, et elle le savait. Elle avait dit à ses amis qu'elle voulait vivre sa vie pleinement. »

Il eut un petit hochement de tête. « Je savais qu'elle était différente.

— Vous avez sans doute… », elle chercha le mot juste, « … des *portraits* d'elle. Vous les avez conservés, je suppose ? »

Il fit signe que oui. Elle était en train de gagner sa confiance.

« Vous les avez gardés pour une bonne raison. Vous vous dites qu'il y a peut-être dans ces images quelque chose qui pourrait révéler la vérité sur Amanda.

— Vous me promettez que ce n'est pas un piège ?

— Je le jure, Jeremy, j'ai seulement besoin de votre aide. »

Les journalistes n'allaient pas tarder à apprendre que le corps d'Amanda avait été découvert, mais pour le moment elle était tranquille. « Il y a de nouveaux indices que je n'ai pas l'autorisation de divulguer. À leur lumière, je pense que personne ne pourra croire que vous ayez pu faire du mal à Amanda. »

Assis près d'elle sur le canapé, il se mit à respirer si rapidement qu'elle crut un instant qu'il était pris d'un accès de panique. Quand elle posa la main sur son bras, elle sentit qu'il avait la peau moite.

« Ne vous inquiétez pas, Jeremy, lui assura-t-elle. Vous pouvez me parler sans crainte. »

Il se leva rapidement, comme s'il craignait de changer d'avis, se dirigea vers la salle à manger et se mit à fouiller dans un monceau de journaux et de magazines. Retenant son souffle, Laurie le suivit. Du bas de la pile, il tira une enveloppe grand format et la lui tendit. En grosses lettres d'imprimerie était inscrit GRAND VICTORIA, avec la date de la dernière fois où on avait vu Amanda.

« Je peux l'ouvrir ? » demanda-t-elle.

Il hocha la tête. Il s'était rembruni, comme s'il craignait sa réaction.

Laurie sortit un paquet de photos de l'enveloppe et les étala sur la table. Il y en avait une bonne centaine. Quelques-unes ressemblaient aux clichés faits dans l'après-midi du jeudi par Bill Walker, mais la plupart avaient visiblement été pris à l'insu de leur sujet.

En les feuilletant, Laurie repéra une photo sur laquelle figuraient tous les invités réunis autour d'une grande table près de la piscine. Il était clair qu'elle avait été prise de loin avec un téléobjectif. Jeremy était réellement un bon photographe. La mise au point était parfaite. Elle distingua, étonnée, deux personnes qui se tenaient la main sous la table. Il n'y avait aucune hésitation sur leur identité. S'efforçant de garder une expression impassible, elle la sortit de la pile.

« Cela vous ennuierait que je garde celle-ci ?

— Pas de problème. »

Laurie hésita puis se lança : « Jeremy, j'aimerais vous engager pour faire exactement ce que vous avez fait la dernière fois. Retournez à l'hôtel et photographiez les gens pendant le tournage ; prenez-les aussi au téléobjectif sans qu'ils s'en aperçoivent.

— Je serai content de travailler pour vous. Est-ce que cette photo concerne Amanda ?

— D'une certaine manière, oui », dit-elle, sachant que le cliché n'avait pas de rapport avec le meurtre d'Amanda.

Elle voulait cette photo parce qu'elle connaissait quelqu'un qui n'aimerait pas qu'elle soit divulguée.

Continuant de passer les photos en revue, elle constata que Jeremy les avait classées dans l'ordre chronologique. Elle s'arrêta sur l'une d'elles qui semblait représenter Amanda, prise de dos. Elle avait la robe bain de soleil qu'elle portait pour la séance de l'après-midi avec le photographe, et on apercevait le bar de l'hôtel à l'arrière-plan.

Laurie la montra à Jeremy. « C'est au moment où vous l'avez aperçue dans le hall et où vous avez fait demi-tour ? »

Il fit un signe affirmatif.

« Jeremy, ce point est essentiel. C'est exactement ce que vous disiez. Vous avez été capable de saisir les gens au-delà des masques qu'ils affichent pour la galerie. Avez-vous vu Amanda et son fiancé se disputer ? Est-il possible qu'elle ait été sur le point d'annuler le mariage ? »

Il secoua la tête, se rapprocha d'elle et se mit à trier les épreuves lui-même. Elle pouvait presque sentir son haleine dans son cou.

« Laissez-moi vous aider », dit-il en retirant certains clichés du paquet qu'elle avait écarté. « Vous voyez la façon dont ils se regardent ? Ils n'étaient même pas conscients de ma présence. Personne ne feint ce genre de sentiment. »

Jeremy avait raison. Les photos qu'il avait mises de côté révélaient une tendresse indéniable. Jeff passant son bras autour de la taille d'Amanda au moment où elle entrait dans la piscine, Amanda lui jetant un regard d'adoration quand il s'asseyait à côté d'elle au restaurant. Leurs doigts enlacés pendant qu'ils se promenaient sur la plage. Amanda et Jeff ignoraient qu'ils étaient photographiés, mais ils semblaient follement amoureux.

« Seulement, il y a un hic », dit Jeremy en sortant une nouvelle photo de sa collection, « je ne crois pas que les futurs mariés et les deux tourtereaux qui se tenaient par la main sous la table étaient les deux seuls amoureux cette semaine-là. »

Laurie comprit ce qu'il voulait dire quand il prétendait que ses photos révélaient la vérité des gens. « Puis-je emprunter aussi celles-ci ? demanda-t-elle.

— Oui, prenez toutes celles qui vous semblent utiles. »

Il paraissait enfin à l'aise avec elle.

Il lui en tendit une dernière. « Je pense que celle-là vous sera utile également. »

L'épreuve montrait deux personnes. L'une était Amanda. L'autre l'agrippait par le bras. Amanda tentait de se dégager. Elle avait la bouche ouverte. Elle paraissait en colère. Blessée. Les deux personnes étaient visiblement bouleversées. Mais la seconde n'était pas Jeff.

« Quelle heure était-il ?

— C'était peu après l'avoir vue dans le hall. À environ dix-huit heures, avant qu'ils aillent tous se préparer pour le dîner.

— Que s'est-il passé ensuite ?

— Son autre amie de fac est descendue à leur rencontre. Kate, c'est ça ? Il leur a fallu donner le change, faire comme si tout allait bien en sa présence.

— Vous avez pris d'autres photos ? »

Il secoua la tête. « Non, tout le monde s'était de nouveau composé un masque. Ce n'était plus utile.

— Vous avez alors quitté l'hôtel ?

— Non. Je suis resté. Le Grand Victoria est un endroit superbe. C'était agréable de pouvoir s'y promener et de photographier les gens en vacances.

— Avez-vous revu Amanda ce soir-là ?

— Oui. »

Laurie n'en croyait pas ses oreilles.

« Vous savez qu'après sa disparition ils ont passé et repassé la vidéo où on la voit marcher avec ses amies jusqu'à l'ascenseur puis faire demi-tour ? demanda-t-il.

— Bien sûr. C'est la dernière fois où on l'a vue.

— Non, c'est inexact. Moi, je l'ai vue.

— Qu'est-il arrivé alors ? »

Laurie se retint de crier tant elle était excitée.

« Elle était seule et s'est dirigée vers le parking, au sous-sol de l'hôtel.

— Vous l'avez vue monter dans une voiture ?

— Non, je l'ai suivie jusqu'à l'escalier puis je me suis arrêté.

— Pourquoi ? Pourquoi n'avez-vous pas continué ?

— C'est tellement silencieux en bas. Le moindre bruit résonne. J'ai eu peur qu'elle entende mes pas. Je ne voulais pas l'effrayer. »

Laurie imagina la terreur que pouvait causer la vue d'un homme muni d'un appareil photo dans un parking désert, tard le soir. S'il l'avait suivie, songea-t-elle, Amanda Pierce aurait peut-être eu la vie sauve.

54

Leo Farley continuait à surveiller la galerie de la maison de Jeremy Carroll tout en consultant ses mails sur son téléphone portable, pour la trentième fois en trois minutes, lui semblait-il.

Il avait une relation d'amour-haine avec les ordinateurs. Il pensait parfois que son job aurait été plus facile s'il avait eu toute cette technologie à sa disposition du temps où il faisait partie de la police de New York. Mais il y avait des moments comme maintenant où il aurait voulu avoir un humain à l'autre bout d'une bonne vieille ligne de téléphone.

Il avait noté le visage inquiet de Laurie quand elle était descendue de la voiture. Jusque-là *Suspicion* avait été un succès phénoménal. Et les deux premières émissions avaient joué un rôle-clé dans l'identification du meurtrier.

Le tournage au Grand Victoria s'avérerait probablement déterminant, mais ce serait peut-être la première fois que Laurie ferait la moitié du terrain sans marquer un essai. J'ai été flic pendant presque trente ans, songea Leo. J'ai appris à connaître la différence entre intuition et preuve au-delà de tout doute raisonnable. Mais pour Laurie, l'incertitude était un sentiment nouveau. Il leur fallait d'autres éléments avant que la police puisse même envisager d'arrêter Jeff. Et Leo était décidé à les trouver.

J'ai peut-être fait une erreur en la laissant entrer seule dans cette maison, pensa-t-il, mais elle tenait tellement à mettre Jeremy en confiance. Elle était déterminée à obtenir la vérité.

Pour lutter contre son inquiétude, Leo avait appelé le bureau des étudiants de Colby et leur avait demandé de chercher dans les annuaires de l'université des informations concernant Carly Romano. Jeff disait n'être qu'une simple connaissance de la jeune femme qui avait été assassinée près du campus. Si Leo parvenait à prouver que lui et Carly avaient eu une liaison, il serait en meilleure position pour l'incriminer.

Lorsque Leo expliqua qu'il était commissaire à la retraite du département de la police de New York et qu'il enquêtait sur Carly, la secrétaire lui confia que les annuaires contenaient tous un index par ordre alphabétique des étudiants. Elle allait scanner les pages concernant Carly et les lui envoyer par mail. C'était ce qui lui occupait l'esprit pendant qu'il attendait dans la voiture.

Laurie vit son père se détendre quand elle ressortit de la maison de Jeremy. Elle se demanda combien de fois il était descendu de la voiture pour voir où elle en était.

« Laurie, je crois que ce sont les vingt minutes les plus longues de ma vie, dit Leo quand elle s'installa sur le siège du passager.

– Et ce n'est pas fini ! » dit-elle en posant son paquet sur le plancher avant d'accrocher sa ceinture.

Puis son portable vibra. Un texto d'Alex.

Les médias locaux viennent d'annoncer la découverte du corps d'Amanda. CNN diffuse en ce moment un reportage. J'emmène Timmy à la piscine mais je continuerai à suivre les derniers développements sur Internet.

Elle lisait le message quand le téléphone sonna. C'était Brett Young.

Elle répondit aussitôt. « Brett, je suis au courant. Les choses se précipitent.

— C'est énorme ! S'il vous plaît, dites-moi que le tournage est presque terminé.

— Oui, nous avons eu tous les protagonistes importants. »

Elle l'imaginait presque en train de sabler le champagne à l'autre bout de la ligne. « Alors combien de temps avant que vous ayez fini ? Je veux lancer la publicité maintenant.

— Nous n'avons pas de réponses pour l'instant, Brett.

— Il faut battre le fer quand il est chaud. Je veux diffuser cette émission le plus tôt possible. Terminez-moi ça *pronto*.

— Il y a un petit problème. Nous n'avons encore que des questions », répondit-elle, mais Brett avait déjà raccroché.

Leo démarra. « Brett pense sans doute que tu es une magicienne.

— La nouvelle de la découverte du corps par la police est déjà connue. Tu as entendu quelque chose ?

— Non. J'avais éteint la radio. J'étais occupé à passer des coups de fil.

— Il veut que je boucle le plus vite possible.

— Dans quel but ? Pour l'instant personne ne sait qui a tué Amanda. »

Elle pensa à la photo que Jeremy lui avait donnée. Savait-elle enfin qui avait tué Amanda ?

Peut-être.

55

Leo laissa Laurie devant la porte de l'hôtel et attendit le voiturier pendant qu'elle allait rejoindre Alex. Elle venait de pénétrer dans le hall quand elle vit Kate Fulton se précipiter vers elle.

« Oh, Laurie, Dieu soit loué. Je vous ai cherchée partout. Je suis vraiment désolée de penser à autre chose qu'à Amanda en ce moment, mais c'est important. J'ai déjà parlé à Jerry, il a dit qu'il ne pouvait rien promettre. Je sais que j'ai signé cet accord, mais je ne veux plus que vous utilisiez mon interview. »

C'était la dernière chose dont Laurie avait envie de discuter en ce moment. Brett ne lui laissait pas un moment de répit, et il fallait absolument qu'elle parle à Alex. Elle n'arrivait pas à penser à autre chose qu'aux photos dans sa serviette. Leo et elle s'accordaient pour penser qu'elle devrait les porter à Marlene Henson, mais elle voulait avoir l'avis d'Alex avant de prendre une décision.

« Kate, je crois savoir pourquoi vous hésitez au sujet de votre interview, dit-elle, mais pourrions-nous en parler plus tard ? Je suis sûre qu'il est possible d'éliminer le passage qui vous inquiète.

— Comment le savez-vous ? Henry vous a parlé ? »

Laurie chercha dans son sac et en tira la première photo qu'elle avait prise chez Jeremy, celle où tous les invités étaient assis autour d'une table. Même de loin, Jeremy avait réussi à photographier les doigts d'Henry enlaçant ceux de Kate. « Un stagiaire qui travaillait avec le photographe du mariage a pris ce cliché », dit Laurie en le tendant à Kate. « Faites-moi confiance, je supprimerai le passage où vous vous demandez si vous ne vous êtes pas mariée trop jeune, personne n'a besoin de le savoir. »

Kate avait été la première à monter se coucher le soir où Amanda avait enterré sa vie de jeune fille. Le frère d'Amanda, Henry, avait été le premier des garçons à en faire autant. Ils étaient les seuls mariés de la bande. Ils étaient tous deux parents de jeunes enfants, impatients d'avoir un peu de répit. Après avoir souhaité bonne nuit à leurs compagnons de table, ils s'étaient retrouvés dans la chambre de l'un d'eux.

« J'aime mon mari, dit Kate. Cela n'est arrivé qu'une seule fois. Une terrible erreur, pour Henry aussi.

— Vous n'avez pas besoin de me donner d'explications. »

Kate la serra dans ses bras. « Je me suis sentie tellement coupable de penser à moi quand on venait de retrouver Amanda. Pauvres Sandra et Walter. Austin a proposé à toute la famille d'utiliser son jet privé s'ils souhaitaient rentrer chez eux, mais ils ont dit qu'ils voulaient rester.

— Ils tiennent le coup, dit Laurie. Après tant d'années, je crois qu'ils sont prêts à entendre la vérité. Il y a encore une chose que vous pouvez faire pour m'aider.

— Tout ce que vous voudrez.

— Est-ce que Meghan et Amanda se sont disputées pendant le séjour ?

— Pas à ma connaissance. Mais, comme vous le savez maintenant, j'avais d'autres préoccupations. Pourquoi ?

— Amanda vous a dit qu'elle avait des hésitations à propos de son mariage et qu'il lui fallait éclaircir quelque chose. Serait-il possible qu'elle ait découvert que Meghan avait le béguin pour Jeff ?

— Je ne sais pas – peut-être. Vous ne pensez pas que Meghan ait pu tuer Amanda, quand même ?

— Oh, bien sûr que non, répondit vivement Laurie. Nous essayons seulement de vérifier toutes les hypothèses. »

Elle regarda Kate se diriger vers l'ascenseur, certaine qu'elle allait détruire la photo. Celles qui importaient étaient toujours dans sa serviette. Cinq d'entre elles montraient Meghan à divers moments de la semaine, regardant Jeff avec adoration tandis qu'il était aux petits soins pour sa fiancée. Mais c'était la dernière photo qui était la plus choquante : Amanda se dégageant de l'étreinte de Meghan pendant une violente dispute.

56

Leo venait de regagner sa chambre d'hôtel quand il entendit frapper à sa porte, puis la voix familière. « C'est Laurie. Papa, tu es là ? »

Elle semblait inquiète. Il sauta de son lit pour lui ouvrir la porte.

« Tu as vu Alex et Timmy ? demanda-t-elle aussitôt. Je ne les trouve nulle part.

— Timmy a laissé un message disant qu'Alex allait les rejoindre, Jerry et lui, au parc aquatique. Il a mis cinq points d'exclamation. »

La vue des mots soigneusement écrits par son fils sur le papier à en-tête du Grand Victoria ne la calma qu'à moitié. « Quand Alex m'a envoyé un message disant qu'il allait à la piscine avec Timmy, j'ai pensé qu'il parlait de celle de l'hôtel. »

Leo s'attendait à ce que sa fille s'inquiète à nouveau de l'attachement de son fils pour Alex, mais elle changea de sujet et revint à l'affaire : « Papa, j'hésite encore à montrer ces photos à l'inspectrice. » Elle les sortit de sa serviette et les étala sur le lit.

Leo n'avait pas eu le temps de les examiner avec attention dans la voiture.

« Regarde », dit-elle en désignant une photo sur laquelle Meghan, à l'arrière-plan, jetait un regard noir en direction de Jeff et d'Amanda qui se tenaient sous une arcade de marbre près de la piscine. « On voit bien qu'elle est amoureuse de lui et qu'il ne s'en doute pas. Puis sur la dernière photo, il est clair qu'Amanda et Meghan se sont querellées. Or Meghan n'a jamais mentionné la moindre dispute après celle qu'elles avaient eue chez Ladyform.

— Tu penses que c'était à propos de Jeff ?

— Il est possible qu'Amanda ait appris que Meghan était amoureuse de Jeff. Peut-être avait-elle instinctivement le sentiment que c'était mutuel. Elle a dit à Kate qu'elle avait quelque chose à élucider avant de prendre sa décision. Cette photo a peut-être été prise pendant qu'elle demandait à Meghan de s'expliquer sur ses véritables sentiments. Je pense qu'elles ont rapidement mis fin à la discussion parce qu'il était temps de se préparer pour le dîner, mais qu'elles devaient se revoir plus tard. C'est proba-blement pour cette raison qu'Amanda se dirigeait vers le parking. Si seulement Jeremy l'avait suivie jusqu'à sa voiture.

— Je croyais que Meghan et Charlotte avaient pris l'ascenseur ensemble quand Amanda leur avait dit avoir oublié quelque chose. C'est ce que tu m'as raconté.

— C'est vrai, mais ensuite Meghan a pu faire ce que bon lui semblait. Peut-être est-elle ressortie en douce de sa chambre. Les vidéos des caméras de surveillance sont floues. Si elle avait troqué sa robe contre un jean et une casquette de baseball, on aurait pu la prendre pour un homme. En outre, je pense à Carly Romano. Si Jeff et elle sortaient ensemble et que Meghan était déjà amoureuse de Jeff, alors il est possible qu'elle se soit aussi attaquée à elle. Elle voulait Jeff pour elle toute seule. »

Au même instant, l'ordinateur portable de Leo fit entendre un *ping* caractéristique. Un nouveau message venait de lui parvenir. Il faillit l'ignorer, mais jeta tout de même un regard. Il venait du bureau des étudiants de Colby.

« À propos de Carly, dit-il, j'ai demandé à l'université si je pouvais avoir plus de détails sur ses rapports avec Jeff. Ils ont scanné chacune des pages des annuaires où figure le nom de Carly. »

Il ouvrit la pièce jointe. « Je ne vois aucune mention de Jeff. Mais regarde ça. »

Laurie parcourut l'hommage rendu à Carly dans l'annuaire de sa deuxième année. Elle avait été présidente du Cercle des débats. « *Sans Carly, le club n'avait d'autre choix que d'élire un nouveau président. Sa mort a été une tragédie, une perte pour notre équipe et toute la communauté de Colby. J'espère seulement pouvoir réaliser la moitié de ce qu'elle a accompli.* »

En dessous de la citation on pouvait voir le visage souriant de la nouvelle présidente du Cercle des débats, étudiante de troisième année à Colby, Meghan White.

Alors que le message atterrissait sur l'ordinateur de Leo, le portable de Jeff Hunter sonna. C'était un appel de New York. Jeff eut un choc en entendant son interlocuteur mentionner le nom de sa femme, Meghan.

57

Alors que Jeff raccrochait, Austin faisait signe au serveur du bar de la piscine de lui apporter un scotch. « Le temps qu'il arrive, il sera cinq heures. Blague à part, j'ai commencé au déjeuner. Tu veux boire quelque chose, mon vieux ? »

Jeff secoua la tête sans répondre. Le serveur parti, Austin dit : « Je suis désolé, j'imagine ce que tu es en train de vivre. Je crois que la plupart d'entre nous supposaient qu'Amanda était – enfin... tu sais – mais c'est dur d'en être certain finalement. À qui parlais-tu ? Tu paraissais soucieux. »

Jeff assura à Austin que tout allait bien et changea rapidement de sujet. « Où est Nick ? » demanda-t-il, bien qu'il n'y ait qu'une personne qu'il ait envie de voir, sa femme. Meghan passait l'après-midi avec Kate au spa de l'hôtel. Après ce coup de fil, Jeff fut tenté d'aller la rejoindre sans tarder et de lui demander une explication. Mais après avoir été questionné le jour même par Alex, il savait que tout le monde le suspectait. À sa connaissance, la police avait dépêché dans l'hôtel des agents en civil qui surveillaient ses moindres mouvements. La dernière chose à faire était de perdre son sang-froid en public, mais il était profondément peiné, troublé, et il avait besoin de parler à Meghan. Il respira profondément et essaya de rester calme.

Austin disait : « Nick est en train de préparer son bateau. Tu le connais. Il peut y passer des heures. » La compétition ne s'arrêtera jamais entre Nick et lui, songea Jeff.

Il consulta sa montre. « Je doute que Nick et toi ayez le temps de faire un tour en mer et de prendre un verre à bord avant le dîner. » Ils avaient tous prévu de dîner ensemble ce soir-là. Après la découverte du corps d'Amanda, Kate avait avancé la réservation, maintenant fixée à dix-huit heures trente. Ce serait une triste soirée, et non la fête qui était prévue. Jeff n'avait même pas envie d'y assister, mais Meghan avait des scrupules à laisser Kate pleurer seule leur amie.

« Il ne s'agit pas d'un cocktail en mer, rectifia Austin. Nick part tôt pour aller parler affaires avec un milliardaire, tu te souviens ? Une réunion avec un client à Boca Raton. »

C'était vrai. Avec les événements récents, Jeff avait oublié.

« Quand on parle du loup », s'exclama Austin. Nick se dirigeait vers eux, vêtu d'un polo et d'un short en madras, sa casquette de capitaine vissée sur la tête, une canette de bière à la main. « Tu as finalement trouvé cette piètre excuse pour aller faire un tour en mer ?

— Tu es seulement jaloux parce que je ne t'emmène pas. » Nick remarqua alors l'humeur pensive de Jeff. « Allons, on essaie juste de plaisanter un peu. Nous sommes tous désolés pour Amanda. »

Jeff hocha la tête.

« Où sont les dames ? demanda Nick. Je reverrai bientôt Meghan à New York, mais je voulais dire au revoir à Kate.

— Elles ont eu envie d'un soin du visage et d'un massage pour se remonter le moral », dit Jeff.

Son regard parcourut le couloir qui menait au spa. Aucun signe des deux femmes. Chaque minute qui l'éloignait d'une explication avec Meghan lui semblait une éternité.

« Tu as pu dire au revoir à la famille d'Amanda ? demanda Austin.

— Je viens de voir Sandra. J'ai failli passer devant leur chambre sans frapper, mais je ne pouvais pas partir sans leur présenter mes condoléances. »

Jeff ne dit pas qu'il avait frappé à cette porte plus tôt dans la journée et que Sandra la lui avait claquée au nez.

Austin demanda comment les Pierce tenaient le coup.

« Franchement ? dit Nick. Pas très bien. J'ai eu l'impression qu'ils voulaient être seuls. Ils dînent en famille ce soir pour évoquer le souvenir d'Amanda. »

Austin leva son verre et dit doucement : « À Amanda.

— On se revoit donc à New York, les enfants, dit Nick. Accroche-toi, mon vieux. »

Il donna à Jeff une petite tape compatissante dans le dos. Austin en fit autant. Jeff était-il paranoïaque ou même ses meilleurs amis semblaient-ils le regarder différemment à présent ?

Il devait parler à Meghan.

58

Laurie se leva d'un bond du bureau où elle était assise quand elle entendit le bip de la carte magnétique dans la porte de la chambre. Timmy et Alex étaient de retour du parc aquatique, tous deux en maillot de bain et tee-shirt orné du logo des Knicks.

Elle serra Timmy dans ses bras. Ses cheveux encore moites sentaient le chlore et la crème solaire. « Alors, c'était comment ?

— Formidable ! Je crois que c'était même encore mieux que le parc des Six Flags. »

Venant de Timmy, c'était le summum. Elle fut surprise quand il annonça qu'il lui raconterait tout mais qu'il faisait chaud et qu'il voulait prendre une douche avant. Il grandissait trop vite.

Lorsqu'elle entendit l'eau couler, elle mit Alex au courant de ce qui s'était passé dans l'après-midi. Elle lui montra les photos de Meghan prises par Jeremy, ainsi que les extraits de l'annuaire de Colby. Quand elle eut terminé, il eut l'air stupéfait. « Juste au moment où nous pensions approcher du but.

— Je sais. J'étais persuadée que c'était Jeff. Maintenant je pense que Meghan était impliquée. Et je me demande s'il n'y a pas autre chose qui nous échappe.

— Et qu'en est-il de l'alliance que portait Amanda ?

— Il est possible qu'elle ait retiré la sienne du coffre. Peut-être voulait-elle l'essayer, vérifier si elle lui allait bien. Et elle ne s'est peut-être pas aperçue ensuite qu'elle la portait toujours.

— Cela fait beaucoup de peut-être.

— En effet. C'est pourquoi je ne sais pas quoi faire de cet indice. Dans les autres émissions, nous avions des preuves, nous étions absolument certains de la vérité. Nous avons pu à la fois réaliser le film et identifier l'assassin. Mais aujourd'hui, j'ai cet indice prouvant l'implication de Meghan, et je veux continuer à creuser. Brett me harcèle pour que nous en finissions et puissions diffuser l'émission. Il me semble aussi que je devrais révéler à la police ce que nous savons… »

Alex conclut à sa place : « Mais en ce moment, c'est toi qui détiens l'information. Et si tu la rends publique…

— … Je peux dire adieu à mon scoop. Et Brett voudra ma tête sur un plateau.

— Il est vraiment sans foi ni loi ? Il préférerait que tu la boucles ?

— À moins d'être mis en demeure, sûrement. Il m'a dit un jour que les chiffres de l'Audimat lui tenaient lieu de religion. » Elle sentit son estomac se nouer. « Je ne sais pas quoi faire. »

Alex posa les mains sur ses épaules et la regarda dans les yeux. « D'abord, ne paniquons pas. Pour Meghan, aux dernières nouvelles, j'étais en train de cuisiner Jeff. Elle ne se doute pas un instant que tu as ces photos, n'est-ce pas ? Ni que Leo a appelé Colby. »

Laurie hocha la tête, soudain rassurée. Alex avait toujours cet effet sur elle.

« Bon, continua-t-il avec assurance, cela nous donne un peu de temps pour réfléchir. Je vais enfiler une tenue plus présentable et ensuite nous irons dîner. Grace et Jerry aussi. Nous passerons en revue tous les éléments connus, et tu pourras décider si tu préfères aller trouver la police ou continuer à travailler.

— D'accord, dit-elle, s'abandonnant à son étreinte.

— Maintenant, tu veux bien laisser tout ça de côté pendant que je te raconte ma journée au parc aquatique avec Timmy et Jerry ?

— Raconte, dit Laurie en souriant. Je n'arrive pas à imaginer Jerry en maillot de bain, les cheveux mouillés, dévalant un toboggan.

— Tu aurais adoré le spectacle. Il était comme un gosse, et Timmy était ravi d'avoir un compagnon aussi enthousiaste que lui dans l'eau.

— Et toi ? Si je pose la question à Jerry, est-ce qu'il aura des photos de toi en train de bondir dans les vagues ? »

Alex fit mine d'être offusqué. « Je suis beaucoup trop sérieux pour ça. Mais j'avais peut-être un sosie là-bas. Et j'imagine qu'il avait l'air ridicule, avec son mètre quatre-vingt-treize, battant des bras et des jambes dans tous les sens.

— Si Jerry a pris des photos, plaisanta Laurie, je les enverrai à *La Gazette du barreau.* »

59

Jeremy avait oublié à quel point le Grand Victoria était vaste. Il s'était promené dans tous les bâtiments une vingtaine de minutes sans croiser une seule des personnes invitées à la noce qu'il était censé observer.

Il lui avait fallu plus de temps que prévu pour arriver sur les lieux. Il avait dû emporter divers objectifs. Les prises de vue à distance s'avéraient toujours délicates, sans compter que la lumière changeait au couchant. Il espérait ne pas être en retard. Il ne voulait pas décevoir Laurie.

Il avait été heureusement surpris quand Laurie l'avait engagé pour photographier les gens à leur insu. À leur première rencontre, son père et elle avaient paru carrément choqués par ce qu'il faisait. Puis elle avait changé d'avis et lui avait proposé de le payer pour accomplir exactement le même travail.

Il se figea soudain. Et si c'était un piège ? Il n'avait pas envie de se retrouver avec une nouvelle ordonnance restrictive.

Il hésitait à renoncer à toute l'affaire quand il reconnut enfin quelqu'un. C'était Jeff, le futur marié de l'époque, cinq ans auparavant. Il avait peu changé. Il s'engageait d'un pas vif dans un passage qui menait à une autre aile de l'hôtel. Jeremy s'apprêtait à le suivre quand il le vit réapparaître, cette fois accompagné d'une femme aux cheveux bruns. Jeremy regarda dans son viseur et zooma. C'était Meghan, l'ex-demoiselle d'honneur d'Amanda.

Ils n'avaient pas l'air heureux.

Jeremy commença aussitôt à les mitrailler. Peut-être donnerait-il les photos à Laurie, peut-être pas. De toute façon, c'était plus fort que lui. Il aimait être à l'affût.

60

« Chuuut ! Tout le monde va nous entendre à l'étage. »

Jeff Hunter se souciait comme d'une guigne que tout l'État de Floride les entende se disputer. C'était la première fois qu'il était dans une telle colère contre Meghan. Pire, il se sentait trahi.

L'appel téléphonique qu'il avait reçu pendant que Meghan et Kate se prélassaient au spa provenait de Mitchell Lands, l'avocat gestionnaire de la fortune d'Amanda. Au début, Jeff avait cru qu'il appelait pour présenter ses condoléances. La nouvelle de la découverte du corps d'Amanda faisait la une des médias.

Mais ce n'était pas la seule raison de cet appel.

Jeff était à présent à ce point furieux qu'il reconnaissait à peine sa voix. « Voilà à peine quelques heures qu'on a retrouvé le corps d'Amanda, et Lands téléphone déjà, expliquant la procédure à suivre pour faire établir la validité du testament. Je lui ai signifié que je n'ai jamais voulu de l'argent d'Amanda, et voilà qu'éclate cette bombe. Tu imagines ma stupéfaction quand j'ai appris que *tu* l'avais appelé ce matin pour le questionner sur mon héritage. Pourquoi as-tu appelé l'avocat d'Amanda derrière mon dos ? Pourquoi lui as-tu demandé comment sortir l'argent du trust ? Tu sais parfaitement que je n'ai jamais été intéressé par un seul cent d'Amanda, pas même à l'époque où nous étions censés nous marier.

— C'est Amanda que tu as toujours voulu épouser, n'est-ce pas ? Je savais que ce jour finirait par arriver, le moment où tu te rendrais compte que tu n'avais jamais aimé qu'elle. Tu ne m'as épousée que parce que j'étais sa meilleure amie, ce qu'il y avait de plus proche de ton Amanda adorée. »

Jeff ne reconnaissait pas la femme qui sanglotait sur le lit de cette chambre d'hôtel. Doutait-elle réellement de son amour pour elle ? Était-ce pour cette raison qu'elle avait appelé Lands ? Avait-elle l'intention de le quitter et de rafler la moitié de l'héritage ? Il lui donnerait tout jusqu'au moindre cent si elle le désirait. Il voulait seulement qu'elle se comporte comme l'épouse qu'il croyait connaître mieux que personne au monde.

« Meghan, explique-toi. Pourquoi as-tu appelé cet homme ? Tu aurais dû m'en parler. Te rends-tu compte des conséquences maintenant qu'ils ont retrouvé le corps d'Amanda ? »

Meghan enfouit sa tête dans l'oreiller, laissant des traces de mascara sur le coton immaculé. « Ce n'était qu'un coup de téléphone. Je ne pensais pas à l'émission, et j'ignorais qu'on allait découvrir le corps d'Amanda, aujourd'hui par-dessus le marché.

— Ils ont trouvé l'alliance. Amanda est morte. Pendant toutes ces années, tu t'imaginais qu'elle était en vie quelque part, heureuse. Cela doit te faire quelque chose, quand même. »

Elle haussa le ton, pour dominer la voix de Jeff : « Bien sûr que ça me fait quelque chose. C'était ma meilleure amie. Tu sais que les responsables de cette maudite émission m'ont questionnée sur cette dispute stupide que nous avions eue à propos des vêtements de sport X-Dream ? Je me fichais pas mal qu'Amanda s'inspire de cette idée. J'avais besoin d'une excuse pour m'en prendre à elle parce qu'elle allait t'épouser. Tu n'as pas compris, après tout ce temps ? Je t'aime depuis notre premier jour à l'université, et il a fallu que je serre les dents, feignant de me réjouir pour Amanda, pendant que tu tombais amoureux d'elle. J'ai toujours été ton deuxième choix. »

Jeff n'avait jamais vu sa femme dans cet état. « Ce n'est pas vrai, Meghan. Amanda était... Nous étions tellement différents. Et les gens changent. Je ne me suis jamais senti aussi bien avec quelqu'un qu'avec toi. Mais il faut que tu me dises pourquoi tu as appelé cet avocat.

— Ce n'est pas ce que tu crois, je te le jure. Je peux t'expliquer. Tu dois seulement être patient. »

On frappa à la porte. Meghan regarda par l'œilleton, puis s'essuya le visage avec ses mains.

« C'est Kate. Je lui avais dit de passer avant le dîner. Maintenant, peux-tu cesser de hurler et me faire un peu confiance ? »

Soudain, sa colère s'était dissipée et elle avait retrouvé son humeur égale et son calme habituels. De son côté, Jeff ne savait plus à qui se fier.

Cinq ans plus tôt, sur le point d'épouser Amanda, il avait été saisi par le doute, il craignait de ne plus savoir qui elle était réellement. Aujourd'hui, après la stupéfiante cascade d'événements de la journée, il se demandait s'il connaissait vraiment sa femme.

61

Sandra Pierce réprima une grimace quand son fils Henry confirma à l'hôtesse que leur réservation était pour quatre personnes. Elle avait toujours su qu'il était arrivé malheur à Amanda. En dépit de ce que la police et le public avaient envie de croire, sa fille n'aurait jamais disparu de sa propre volonté. Mais, au fond d'elle-même, demeurait une étincelle d'espoir de la retrouver vivante – de retenir un jour une table pour cinq convives.

Walter admirait l'étonnant bar-aquarium quand Sandra aperçut un groupe familier déjà assis au fond de la salle à manger. Elle eut un mouvement de recul, et Charlotte lui saisit la main.

« Maman, qu'y a-t-il ? »

Walter, Charlotte et Henry suivirent son regard. Jeff Hunter était là, avec cette traîtresse de Meghan, ainsi que Kate et Austin. Sandra gardait les yeux rivés sur lui. Comme Jeff levait son verre, elle imagina cette même main entourant le cou de sa fille.

« Je ne supporte pas de le voir, dit-elle entre ses dents. Il a tué Amanda, j'en suis convaincue. »

Visiblement, l'hôtesse l'avait entendue. « Voulez-vous changer de table ? demanda-t-elle. J'en ai une autre, là-bas au fond de la salle. »

Sandra sentit une main réconfortante se poser sur son épaule et se retourna. Walter la regardait avec tendresse. « Tu sais, dit-il, maintenant que nous sommes ici, je crois que je mangerais plutôt un steak. Vois-tu un inconvénient à ce que nous allions au restaurant d'en face ? »

Comme ils quittaient l'hôtel, Henry leur fit remarquer la beauté du coucher de soleil. Le ciel était pourpre et or. Amanda aurait tellement aimé ce spectacle. C'était pour cela qu'elle voulait se marier au bord de la mer.

Sandra s'accrocha au bras robuste de Walter. « Je n'aurai jamais de repos tant que justice ne sera pas faite à Amanda, dit-il. Mais nous sommes tous les quatre ce soir. Nous méritons d'avoir une soirée en paix pour nous souvenir d'elle. »

Et la famille réunie s'en alla dîner.

Jeff Hunter vit les Pierce faire demi-tour devant le comptoir de l'hôtesse et sortir. L'expression de Sandra ne lui avait pas échappé. Elle était tout à la fois juge, jury et bourreau.

Il se demanda s'il regardait Meghan de la même manière. Il aurait voulu se lever en plein milieu du restaurant et hurler à pleins poumons : « Ce n'est pas moi ! »

Son portable vibra dans sa poche. C'était un texto de Nick : *Boca est un endroit superbe, mais j'aimerais y être avec vous autres. J'espère que tout se passe bien pour toi, mon vieux.*

Jeff dirait plus tard à Nick qu'il avait eu de la chance de partir tôt. Ce dîner était une idée absurde. Austin s'ennuyait manifestement sans Nick. À côté de lui, Kate éloignait discrètement sa chaise de la sienne, se rappelant sans doute ses avances embarrassantes quand ils étaient étudiants. Meghan buvait de l'eau et ne disait pas trois mots. Jeff avait envie de quitter la table et d'exiger de sa femme qu'elle lui explique pourquoi elle avait appelé l'avocat d'Amanda à propos du testament.

Était-ce son plan depuis le début ? Épouser Jeff une fois qu'Amanda aurait laissé la voie libre, puis dépenser l'héritage ? C'était impossible, il ne pouvait pas le croire.

Alors qu'ils continuaient de manger en silence, il crut voir un homme les observer de loin, depuis la cour. Bien sûr, se dit-il. La police me surveille.

L'homme en question n'était pas un policier, mais Jeremy. Il avait suivi Jeff et Meghan jusqu'à l'ascenseur, puis regardé les chiffres clignoter l'un après l'autre sur le tableau avant de s'arrêter à leur étage. Quand Jeremy était monté à leur suite, il avait entendu les échos d'une vive discussion. Mais il avait vu un homme s'attarder dans le couloir et préféré ne pas attirer l'attention sur lui, si bien qu'il était redescendu dans le hall. Il avait attendu que Jeff et Meghan réapparaissent, cette fois suivis de Kate. La tension entre eux était palpable. Ils ne parlaient pas mais le langage du corps était éloquent.

Il pouvait aussi deviner les pensées de la famille Pierce. Ils étaient d'humeur sombre en entrant dans le restaurant de fruits de mer. C'était normal, après avoir appris la nouvelle concernant Amanda. Mais, au bout de quelques minutes, ils étaient ressortis, l'air encore plus bouleversés. En les voyant quitter l'hôtel, Jeremy avait dû faire un choix. Soit surveiller la famille, soit surveiller les amis. La réponse paraissait évidente.

À présent, il se demandait s'il avait pris la bonne décision. Jeff et Meghan étaient encore tendus, le copain de fac paraissait s'ennuyer et l'autre fille avait l'air triste. Rien de bien intéressant.

Puis Jeremy aperçut un autre visage familier. C'était le père de Laurie, l'homme qui l'avait tellement effrayé l'autre jour. Il était en train de traverser le hall. Jeremy se dissimula derrière un palmier et le regarda suivre l'allée qui menait au restaurant italien. Une fois hors de vue, il prit le même chemin et, par la fenêtre, le vit rejoindre Laurie et plusieurs autres personnes autour d'une grande table au fond de la salle.

Laurie lui avait demandé de prendre des photos des gens qui participaient à l'émission. Elle ne lui avait pas interdit de la photographier. D'ailleurs, que cela fasse partie de sa mission ou non, il n'y avait rien d'illégal à se tenir là et à faire quelques prises de vue.

Il monta un téléobjectif sur son appareil. Une fois qu'il commençait à shooter, rien ne pouvait l'arrêter. La jeune femme aux longs cheveux bruns était superbe. Et l'homme assis à côté de Laurie très photogénique. Le gosse était adorable. Ces images seraient parfaites pour sa collection.

Jeremy était tellement captivé par ce qu'il faisait qu'il ne vit pas Jeff, Meghan et leurs amis quitter le restaurant et s'engouffrer dans l'ascenseur.

62

Laurie sentit sur ses lèvres le goût salé de la mer que le vent du soir lui soufflait au visage. Elle avait roulé son pantalon de lin sur ses mollets et tenait ses sandales d'une main en serrant celle d'Alex de l'autre. Ils avaient marché plus d'un kilomètre à présent.

Comme il l'avait suggéré, ils avaient passé en revue tout ce qu'ils savaient sur l'affaire Amanda. Certains indices pouvaient incriminer Jeff, mais également Meghan. Il était possible qu'ils aient agi séparément ou ensemble. À ce stade, autant tirer à pile ou face. Ensuite, il leur fallait décider de poursuivre les investigations ou de passer à l'antenne sans plus tarder. Brett devait décider de la programmation de l'émission le soir même.

Au dessert, Laurie savait au fond d'elle-même ce qu'elle devait faire. Mais elle voulait avoir une dernière conversation avec Alex avant de prendre une décision définitive.

« J'imaginais que nous aurions résolu cette affaire avant de tout mettre en boîte, dit-elle pensivement.

— On ne réussit pas à tous les coups, Laurie. Et regarde tout ce que tu as déjà accompli. Tu as mis fin aux interrogations d'une famille dont pratiquement tout le monde s'était désintéressé. Sandra m'a confié aujourd'hui combien elle t'était reconnaissante d'avoir apporté une réponse à la disparition d'Amanda.

— Mais ce n'est pas une réponse. Elle est morte, et nous ne savons toujours pas qui l'a tuée.

— Au moins ils peuvent lui dire adieu, dit Alex. Tu sembles avoir pris une décision.

— Oui. On a encore une séance de prises de vues demain au cours de laquelle tu pourras exposer la totalité de ce que nous savons. Peut-être préfères-tu te contenter d'un adieu, comme tu viens de le dire, fit-elle en souriant. Ce serait une fin parfaite pour une histoire qui n'a pas réellement de fin. »

Alex s'immobilisa et se tourna vers elle. « À propos de fin, il y a quelque chose que je dois te dire.

— Tu m'inquiètes. »

Et si mon père avait raison ? pensa-t-elle. Je lui ai dit que tout allait bien avec Alex, mais je me trompais peut-être.

« Non, rien de grave. Mais il se peut que je sois obligé d'interrompre ma collaboration à ton émission.

— À cause de notre...

— Non, pas du tout. C'est mon activité professionnelle. Autant j'aime avoir une raison de quitter New York pour quelques jours, surtout avec toi, autant il devient difficile de jongler avec mon emploi

320

du temps. Je l'ai pu jusqu'à présent, mais ce ne sera pas toujours le cas. »

Laurie avait du mal à imaginer qu'il lui faudrait un jour réaliser l'émission sans Alex. Et quelle incidence cela aurait-il sur leur relation ? Elle ne voulut pas lui montrer sa déception. « Tu veux dire que les juges ne vont pas arrêter la marche de la justice pour que tu deviennes une star de la télévision ?

— Apparemment pas. »

Son sourire lui serra le cœur. La main d'Alex toujours dans la sienne, elle continua à marcher le long de la plage. « Brett va me casser les pieds jusqu'à ce que je trouve un présentateur aussi beau que toi.

— Impossible, bien sûr, dit-il ironiquement. Mais j'ai une idée. D'ailleurs, il est grand temps que Brett s'aperçoive que c'est toi le véritable élément moteur de l'émission. »

Ils rentraient à l'hôtel quand Laurie sentit son téléphone vibrer dans sa poche. Si c'est encore Brett, pensa-t-elle, je jette ce machin dans la mer. Elle regarda l'écran ; un numéro de New York, mais pas celui de Brett.

« Laurie à l'appareil, dit-elle.

— Ah, bon, j'arrive enfin à vous joindre. Excusez-moi de vous appeler à cette heure. Ici Mitchell Lands. »

Il fallut un moment à Laurie pour se souvenir que c'était l'avocat qui avait établi le contrat de mariage et le testament d'Amanda. « Oh, bonsoir, monsieur Lands. Vous travaillez affreusement tard. » Elle chuchota une excuse à Alex. Elle n'aurait pas dû répondre.

« C'est la vie d'un avocat.

— Vous devez avoir appris la terrible nouvelle. Je suis désolée.

— Je le regrette, mais dans mon métier on est souvent confronté à la mort. Je suis navré pour Sandra et Walter Pierce. Ils doivent être désespérés.

— En effet. Est-ce que je peux faire quelque chose pour vous ?

— Non, mais une chose m'a tracassé pendant toute la soirée, et j'ai pensé que le mieux était de vous en parler. C'est à propos de Jeff Hunter. Il m'a dit qu'il était ici et participait à votre émission.

— Vous avez parlé à Jeff ? »

Elle se figea. L'expression d'Alex se fit soucieuse.

« Oui, je l'ai appelé dès que j'ai appris qu'on avait découvert la dépouille d'Amanda. J'ai pensé qu'il devait être mis au courant des étapes qui vont suivre avant l'homologation de la succession d'Amanda.

— Sans vouloir vous critiquer, monsieur Lands, n'est-ce pas un peu précipité ? L'identité n'a même pas été officiellement établie.

— Je sais, ce n'est pas mon habitude. Mais puisqu'il semblait y avoir urgence à répartir les fonds, je me suis dit que rien n'empêchait de mettre le processus en marche. Il m'a dit qu'il était interrogé dans le cadre de votre émission. Jeff est-il considéré comme suspect ? Si c'est le cas, les parents d'Amanda pourraient exiger que les actifs

322

soient bloqués jusqu'à la fin de l'enquête. Je ne veux pas les appeler pour une question légale à une heure pareille, mais comme je vous l'ai dit, cela m'a tourmenté toute la soirée. Peut-être n'aurais-je pas dû téléphoner à Jeff, au fond.

— Qu'entendez-vous par urgence ? Je croyais que Jeff n'avait pas voulu toucher à cet héritage jusque-là ?

— C'est exact. Et je pense qu'il n'a pas changé d'avis. Aussi ai-je été un peu surpris ce matin en recevant un appel à ce sujet.

— Jeff vous a appelé ce matin ? »

Alex écarquilla les yeux.

« Non, pas Jeff. Sa femme, Meghan. »

Les soupçons de Laurie étaient donc justifiés. « C'est Meghan qui s'intéressait à l'héritage ? Quelle heure était-il ?

— Neuf heures, à mon arrivée au cabinet. »

Les parents d'Amanda ne connaissaient pas encore la nouvelle. Laurie se souvint que, selon Marlene Henson, il n'était pas impossible que l'informateur anonyme au téléphone soit une femme, n'importe qui pouvant se procurer un modificateur de voix dans un magasin spécialisé

« Et elle savait que le corps d'Amanda avait été découvert ? demanda Laurie.

— Non, pardonnez-moi ; je n'ai pas été assez clair. L'épouse de Jeff a appelé avant que l'information ait été diffusée. Elle voulait connaître le processus qui permettrait à Jeff d'hériter – quelles démarches entreprendre pour qu'Amanda soit déclarée légalement décédée, et dans quels délais. Mais quand j'ai appris la nouvelle, j'ai appelé Jeff en tant que bénéficiaire pour l'informer qu'il n'aurait pas à faire établir une déclaration à partir du moment où le certificat de décès était signé.

— Comment Jeff a-t-il réagi ?

— C'est le plus étrange. Il a semblé bouleversé et stupéfait quand je lui ai rapporté que Meghan avait appelé dans la matinée. Je crois qu'il ignorait totalement la raison de ses questions. Elle a sans doute agi de sa propre initiative. Ce qui m'a incité à penser que Jeff ne pouvait être tenu pour suspect, mais j'ai voulu vérifier avec vous pour en être certain.

— Quand avez-vous parlé à Jeff ?

— Il n'y a pas longtemps. Un peu avant dix-sept heures. »

Laurie prit congé et se tourna vers Alex. « Nous pensions qu'il n'y avait pas d'urgence à avertir la police à propos de Meghan, mais elle a appelé Mitchell Lands ce matin, elle l'a interrogé sur l'héritage. Ensuite Lands a téléphoné à Jeff. »

Comme toujours, Alex vit immédiatement où elle voulait en venir. « Ce qui signifie que Jeff a probablement déjà eu une explication avec Meghan à ce sujet. Elle sait maintenant que les soupçons vont se porter sur elle. Il faut que nous parlions à l'inspectrice.

— Je vais demander à papa de s'en charger. Elle lui fait davantage confiance qu'à nous. Mais il n'y a pas une minute à perdre. »

63

Comme Meghan l'avait prévu, Jeff entra tout de suite dans le vif du sujet.

« Pourquoi me demandes-tu tout le temps d'attendre ? Tu essayes de gagner du temps pour mieux me mentir, c'est ça ?

— Je ne te mentirais *jamais*. Mais je ne peux pas en parler maintenant. Pas dans ces conditions.

— Mais bon sang, pourquoi as-tu téléphoné à cet avocat ce matin ? insista Jeff. Après toutes ces années, et quelques heures seulement avant d'apprendre que le corps d'Amanda avait été retrouvé. Je n'arrive pas à comprendre.

— Il y a une raison, crois-moi…

— Alors dis-moi laquelle !

— Cesse de hurler !

— Je te pose une simple question, Meghan. J'ai droit à une réponse. »

Stupéfait, Jeff la vit se lever, prendre son sac et sortir de la pièce en claquant la porte derrière elle, le laissant désemparé, dans le silence.

Meghan profita des quelques secondes où elle se retrouva seule dans l'ascenseur pour essuyer ses larmes et reprendre sa respiration. Jeff et elle se disputaient rarement, et ni elle ni lui ne s'étaient jamais claqué la porte au nez, mais quitter la pièce lui avait semblé la seule façon d'empêcher sa tension de grimper dangereusement. Son médecin lui avait recommandé d'éviter tout stress inutile.

Espérons que tout se passera bien, pensa-t-elle en posant sa main sur son ventre. Elle ignorait si le bébé pouvait sentir son contact, mais ce geste l'aida à reprendre son calme. Ne t'inquiète pas, murmura-t-elle, tout ira bien. Une fois que ton père se sera calmé, je retournerai dans la chambre. Il me croira, j'en suis certaine.

Meghan avait prévu d'annoncer la nouvelle à Jeff à leur retour à New York. Elle voulait mettre une distance entre ce qui se passait ici et leur enfant. Elle voulait que ce soit un moment parfait.

Mais elle n'aurait jamais dû appeler l'avocat ce matin. Les conséquences étaient désastreuses, surtout après la découverte du corps d'Amanda. Il était normal que Jeff lui demande des explications. Elle s'apprêta à remonter dans leur chambre, décidée à lui dire la vérité, même si elle devait renoncer au moment parfait dont elle avait rêvé.

Son portable vibra, indiquant la réception d'un mail. Elle n'échapperait donc jamais au travail !

Comment pourrait-elle être disponible vingt-quatre heures sur vingt-quatre quand elle serait mère ? Mais il ne s'agissait pas d'un client. Le message venait de Kate.

Elle cliqua pour l'ouvrir. *Salut. Je ne voulais pas parler devant tout le monde au dîner, mais j'ai quelque chose d'important à te dire concernant Jeff. Je pense que cette émission de télé est un piège pour lui. Rejoins-moi au ponton derrière l'hôtel, je préfère ne pas rencontrer un membre de l'équipe de tournage.*

D'accord, tapa Meghan. Jeff peut attendre quelques minutes de plus pour se calmer avant que nous nous expliquions. *J'arrive.*

64

Marlene Henson s'allongea sur le tapis du bureau et laissa ses deux caniches sauter sur elle. Cagney et Lacey, deux sœurs âgées de trois ans. Les jours où sa fille Taylor était chez son père, ces deux boules d'énergie donnaient à Marlene une raison de rentrer chez elle.

Après lui avoir fait la fête, elles coururent dans le living-room pour y poursuivre leurs ébats. Quand elle avait adopté les deux chiots, Marlene avait appris à ses dépens qu'il valait mieux ne rien laisser de fragile à moins d'un mètre du sol. L'avantage était que la maison n'était plus encombrée de babioles inutiles.

Elle sentit ses yeux se fermer malgré elle. Elle aimait son travail, mais la journée avait été longue.

Elle avait hérité de l'affaire Amanda Pierce – déjà classée – trois ans plus tôt, quand l'inspecteur de la police criminelle Martin Cooper était mort d'une rupture d'anévrisme dans son sommeil. Elle avait pris contact dès le lendemain avec Sandra et Walter Pierce. Elle leur avait dit qu'aucun nouvel indice n'avait été recueilli récemment, mais qu'elle avait fait mettre en place un système d'alerte afin d'être prévenue nuit et jour si un changement survenait. Et la veille au soir était tombée l'information concernant la découverte du corps. Depuis elle avait travaillé plus de vingt heures d'affilée.

Elle était sur le point de s'endormir à même le tapis quand son portable se mit à vibrer sur la table basse. L'appel venait de Floride.

« Henson, dit-elle, étouffant un bâillement.

— Bonsoir, ici Leo Farley.

Le flic à la retraite. Il avait été précieux quand il avait fallu se mettre en rapport avec sa fille Laurie et son équipe. Elle se méfiait des médias en général, mais elle avait confiance en Leo, et lui-même semblait faire confiance aux gens qui travaillaient pour l'émission.

« Bonsoir, Leo. Que puis-je faire pour vous ?

— Nous savons que vous avez des policiers qui surveillent Jeff, mais ils devraient s'intéresser aussi à sa femme, Meghan White. Laurie a obtenu des photos prises par ce stagiaire dont nous vous avons parlé… »

Marlene se redressa sur-le-champ. « Quoi ? » Bravo pour la confiance !

« Elle a pensé qu'elle aurait plus de chances de l'amadouer si elle y allait seule. J'ai attendu dehors, malade d'inquiétude. Mais elle avait raison. Ça a marché. Jeremy lui a fourni certaines informations que nous n'avions pas. »

Marlene sentit le mal de tête la gagner en écoutant Leo lui parler des photos où Meghan regardait Jeff avec adoration, celles de la dispute avec Amanda le soir de sa disparition. Sa migraine empira quand Leo en vint au coup de fil de Meghan à l'avocat d'Amanda et à son rapport avec la fille qui avait été assassinée à Colby.

« Où êtes-vous ? demanda-t-il. Savez-vous où se trouvent Jeff et Meghan en ce moment ?

— Je suis rentrée chez moi, mais je suis sûre que tout va bien. Aux dernières nouvelles, ils dînaient avec leurs amis. Laissez-moi contacter le responsable de mon équipe sur place. »

Elle raccrocha sans plus de formalités, afficha le numéro du sergent Jim Peters et appuya sur la touche d'appel.

« Je pensais que tu t'offrais un petit somme, dit-il.

— Moi aussi. »

Je n'ai pas cette chance. Elle grimaça.

« C'est superbe ici. J'ai presque honte de toucher des heures supplémentaires pour rester de faction. Enfin, presque.

— Tu surveilles toujours Hunter ?

— Ouais. Sa femme et lui sont montés dans leur chambre après le dîner. Si je le vois sortir, je me dissimulerai dans la cage d'escalier et je préviendrai Tanner en bas. Il a pris son poste près des ascenseurs. On fait des rotations pour changer un peu de décor.

— Donc ils sont tous les deux là, Jeff et sa femme ?

— Non, lui seulement. Ils ont eu une altercation et elle est sortie comme une furie il y a une seconde. Je me suis caché dans l'escalier pour qu'elle ne me repère pas.

— Où est-elle allée ? Est-ce que Tanner la suit ?

— Non, c'est le mari que nous filons. Du moins, c'est ce que je croyais.

— En effet. Et c'est toujours le cas. Appelle Tanner, d'accord ? Dis-lui de garder l'œil sur la femme, et toi tu surveilles Jeff Hunter. Ne les perdez de vue ni l'un ni l'autre. »

Marlene avait troqué son pyjama contre sa tenue de travail et elle enfilait ses chaussures quand le sergent Peters rappela.

« Tu as trouvé Meghan ?

— Non. Je viens de parler à Tanner. Il dit qu'elle a traversé le hall, mais ensuite il ne sait pas. »

Jeremy consulta sa montre, se demandant jusqu'à quelle heure il devait rester à l'hôtel. Il avait été tellement occupé à photographier Laurie et ses amis qu'il avait pratiquement perdu la trace des invités du mariage. Quand il regagna le restaurant de fruits de mer, il n'y avait plus personne à leur table.

Il vérifia dans les autres bars de l'hôtel, mais sans succès.

Il gagna alors la plage, croisa quelques couples qui se promenaient au clair de lune, mais aucun visage connu. La lune était magnifique. Il y avait longtemps qu'il n'avait pas exercé ses talents de photographe de nuit.

Il prit son appareil, choisit un long temps d'exposition, visa l'étendue de la mer et déclencha. Il contrôla l'image numérique sur l'écran. Étonnant. Il n'avait pas perdu la main. À cette heure de la nuit, la plupart des photographes auraient obtenu soit une vue totalement noire, soit un flash agressif. Mais avec ce temps de pose, il était parvenu à capturer le moutonnement des vagues sur la mer et le scintillement des étoiles se reflétant à la surface de l'eau. Pas mal.

Il regagnait l'hôtel quand il aperçut une femme marchant à sa rencontre. Elle était seule, ses longs cheveux ondulés flottant au vent. Il était presque sûr que c'était Meghan.

Il se détourna sur son passage, lui laissa prendre une trentaine de mètres d'avance, puis la suivit. À cette distance, elle ne le remarquerait pas.

Meghan était assise au bord du ponton privé de l'hôtel, les pieds ballants. Elle était passée devant des bateaux magnifiques en s'avançant jusqu'au bout du ponton. Le clair de lune sur le miroir bleu sombre de la mer était d'une beauté féerique, mais elle ne pouvait quitter des yeux l'écran de son téléphone portable. Elle ne savait quoi répondre à son mari.

Un autre message apparut. C'était Jeff à nouveau. *Où es-tu ? Il faut que nous parlions.*

Peut-être ferait-elle mieux de ne pas attendre Kate, après tout. Elle avait besoin de se réconcilier avec Jeff. Mais Kate disait qu'elle avait quelque chose d'important à lui dire le concernant. Que cette émission était un piège pour lui. Il fallait qu'elle en sache davantage.

Elle examina les trois bateaux amarrés au ponton. Dans l'obscurité, elle ne voyait pas grand-chose sinon qu'ils étaient de grandes dimensions. Sans doute le genre de navires de plaisance que l'on qualifiait de yachts, mais elle n'y connaissait rien en bateaux à part ce qu'elle avait appris au cours de leurs parties de pêche aux Bahamas.

Quel voyage parfait. Elle se remémora leur discrète lune de miel. Jeff s'était occupé du moindre détail, depuis les petits déjeuners au champagne jusqu'aux bains de minuit au clair de lune. Il ne fallait pas qu'elle le fasse attendre plus longtemps. Elle téléphonerait à Kate depuis sa chambre. Elle se levait quand elle aperçut dans son champ de vision une silhouette qui marchait dans sa direction sur le ponton.

Elle se retourna, s'attendant à voir Kate.

Ce n'était pas Kate, mais Meghan s'apprêta à sourire à celui qui s'avançait vers elle. Soudain, elle eut une impression bizarre. Elle le connaissait depuis des années, mais il avait une expression qu'elle ne lui avait jamais vue auparavant. Elle avait lu quelque part que les femmes enceintes acquièrent un sixième sens afin de protéger leur enfant du danger. Subitement, elle comprit : il n'aurait pas dû se trouver là.

Si son pressentiment était fondé, elle n'aurait aucun moyen de regagner l'hôtel car il lui barrait le passage. Dissimulant son inquiétude, elle lui fit un signe de main et commença à composer le 911. Mais il s'approchait trop rapidement. Elle ne pourrait jamais passer l'appel à temps. Et si elle avait deviné juste, il ne lui laisserait pas son téléphone. C'était le seul moyen de détecter l'endroit où elle se trouvait.

Elle changea d'avis et glissa discrètement son portable entre deux lattes de bois du ponton. Une traverse sous les planches le maintenait en place. Restait à espérer qu'il ne le remarquerait pas.

C'est alors qu'elle vit le pistolet. Elle était perdue. Elle protégea son ventre d'une main tandis qu'il l'entraînait le long du ponton et la poussait dans un bateau. Elle sentit la piqûre d'une aiguille dans son cou et pria pour que quelqu'un fasse le rapprochement entre le téléphone et ce qui lui arrivait.

Puis tout devint noir.

67

Jeff appuyait frénétiquement sur le bouton de l'ascenseur. Il n'aurait jamais dû laisser Meghan partir aussi vite. Il aurait dû se lancer à sa poursuite, bloquer le couloir si nécessaire.

La cabine lui sembla descendre avec une lenteur insupportable tandis qu'il se remémorait leur dispute. Comment avait-il pu l'insulter ainsi ? Il l'avait même accusée de n'avoir rien éprouvé à la mort d'Amanda. Il s'était montré cruel. Il savait que Meghan n'affichait pas ses émotions comme la plupart des gens.

Quand les portes de l'ascenseur s'ouvrirent, il se précipita dans le hall, cherchant à l'apercevoir. Il n'aurait jamais dû douter d'elle, même une seule seconde, se dit-il, les mots résonnant dans sa tête. Il savait mieux que personne combien il était douloureux d'être soupçonné d'avoir fait du mal à Amanda. Mais comment Meghan avait-elle pu s'enfuir ainsi ? Il avait multiplié les messages et les appels téléphoniques, sans réponse de sa part. Elle savait sûrement qu'il était terrifié.

Jeff eut l'impression de revivre un cauchemar en suivant l'itinéraire exact qu'il avait parcouru quant ils s'étaient aperçus de la disparition d'Amanda. Les piscines. Les boutiques. Le front de mer. Non, se jura-t-il, je ne laisserai pas la même chose se reproduire.

Alors qu'il cherchait sa femme dans tous les endroits où il avait espéré retrouver Amanda, il songea que les deux femmes avaient beaucoup en commun, mais seulement en apparence. Même si elles choisissaient de s'asseoir au même endroit pour contempler la mer, si elles fréquentaient les mêmes magasins, leurs personnalités étaient néanmoins très différentes.

Jeff et Amanda s'étaient rencontrés à un moment de leur existence où leur relation pouvait paraître fondée. Malade, elle avait eu besoin de quelqu'un de fidèle et d'attentionné. Et Jeff, qui n'était jamais sûr de savoir trouver sa place dans la profession judiciaire, avait parfois besoin d'un encouragement d'Amanda pour s'affirmer. Contrairement à Amanda, cependant, Meghan l'acceptait tel qu'il était. Elle ne lui avait jamais demandé de changer, pas une seule fois. Il l'aimait réellement. Ils étaient faits l'un pour l'autre, pas seulement pour une période de leur vie, mais pour toujours.

Comment peut-elle me laisser ainsi dans l'inquiétude ? Il essaya à nouveau de la joindre sur son portable. Pas de réponse. Connaissant Meghan, elle pouvait l'avoir branché sur la fonction vibreur et ne pas l'entendre.

Alors qu'il s'apprêtait à couper la communication, une alerte apparut sur son écran, l'invitant à se connecter sur un des réseaux Wi-Fi disponibles. Il se rappela alors que Meghan activait toujours une borne Wi-Fi sur son portable parce qu'elle ne faisait pas confiance aux serveurs informatiques des hôtels en matière de confidentialité. Il était à peu près sûr que la portée d'une telle borne était d'environ quarante-cinq mètres. S'il continuait à chercher et voyait s'afficher son code – MeghanInBrooklyn –, il aurait peut-être une chance de la retrouver.

Le signal apparut subitement au moment où il s'apprêtait à reprendre le chemin de l'hôtel. Il inspecta la plage autour de lui, aussi loin qu'il le pouvait, cherchant à distinguer la silhouette de Meghan. Il eut un pincement au cœur à la vue d'un couple âgé qui se promenait en se tenant par la main. Tels deux amoureux. Il voulait marcher main dans la main avec Meghan quand ils auraient plus de quatre-vingts ans.

Il continua à avancer, tandis que les lumières de l'hôtel s'éteignaient peu à peu. Dans l'obscurité, il trébuchait sur la surface inégale du sable.

Il poursuivit vers le nord, comptant ses pas jusqu'à ce que disparaisse le signal Wi-Fi de Meghan. Quarante et un pas, soit une quarantaine de mètres. Il revint à l'endroit où il avait capté le signal et se dirigea vers le sud. Onze pas seulement, environ dix mètres. Il repartit de ce point vers l'intérieur et perdit à nouveau le signal. Aucune trace de Meghan nulle part.

Il ne restait qu'une direction : l'océan. Il fut pris de panique. Mais le téléphone émettait encore. Et s'il était sur le ponton ? À première vue, personne. Rien. Pourtant, il devait aller vérifier. C'était l'unique possibilité.

Il parcourut toute la longueur du ponton. Seul dans le noir, en proie au désespoir, il cria : « Meghan ! » Son téléphone captait toujours le signal. Où était-elle ?

Il était sur le point de regagner l'hôtel quand il vit un reflet entre deux lattes de bois du ponton. Il tendit la main et sentit quelque chose de métallique dans l'interstice. La coque d'un téléphone portable. Celui de Meghan.

Il avait trouvé le signal, mais sa femme avait disparu.

68

Jeff comprit aussitôt que le téléphone n'avait pas été laissé là par hasard. Il avait été volontairement placé entre ces planches, il en était certain. La question était, pourquoi ?

Les seuls textos récents qu'elle avait reçus étaient ceux qu'il lui avait envoyés, lui demandant de revenir dans leur chambre. Il y avait aussi des messages vocaux sans intérêt. Il consulta ses mails. Le plus récent émanait de Kate. Elle pensait que l'émission était un piège pour Jeff. Vraiment ? pensa-t-il. Elle demandait à Meghan de la retrouver sur le ponton.

Mais alors où étaient-elles ? S'apercevant qu'il n'avait pas le numéro de Kate, il chercha fébrilement dans les contacts de Meghan. Bien entendu son carnet d'adresses était parfaitement à jour. Typique de sa part.

Kate répondit presque aussitôt, mais l'attente lui parut durer une éternité. On entendait la télévision dans le fond.

« Kate, ici Jeff. Puis-je parler à Meghan ?

— Heu, je croyais que c'était Meghan. C'est son nom qui s'affiche.

— J'ai son téléphone. Meghan n'est plus avec toi ?

— Qu'est-ce que tu racontes ? Je ne l'ai pas revue depuis le dîner.

— Tu lui as envoyé un mail lui demandant de te retrouver sur le ponton. J'y ai trouvé son téléphone, mais elle n'est pas là. »

Le ton de Kate trahit son inquiétude : « Je suis désolée, Jeff, mais je n'ai envoyé aucun mail à Meghan, et je n'ai pas quitté ma chambre depuis que je suis rentrée. Si elle avait rendez-vous avec quelqu'un sur le ponton, ce n'était pas avec moi. »

Jeff coupa la communication. Il n'avait personne vers qui se tourner. Kate n'avait peut-être pas envoyé ce mail, mais son auteur ne se trompait pas : Jeff était le principal suspect. Il se figurait déjà la réaction de la police quand il déclarerait que sa femme avait disparu. Jamais ils ne le croiraient. Ils étaient déjà convaincus qu'il avait tué Amanda. Ils penseraient qu'il s'en était aussi pris à Meghan.

Pourquoi Meghan avait-elle laissé son téléphone sur le ponton ? Qu'est-ce qui lui échappait ?

Jeff remonta plus loin dans les messages de sa femme. Tous semblaient concerner son travail. Sauf un, envoyé la veille par un cabinet médical. Il l'ouvrit. Il était signé du docteur Jane Montague, gynécologue. Il s'apprêtait à le fermer quand un mot en particulier attira son attention.

« Bonjour, Meghan, l'infirmière m'a transmis votre message concernant les effets d'une métabolisation ultra-rapide sur votre grossesse. Bien qu'il soit intéressant de savoir que vous métabolisez les médicaments plus rapidement que la majorité des gens, c'est simplement un indice qui nous permet de déterminer les dosages qui vous conviennent. Cela ne peut avoir aucun effet sur l'enfant ! Bien à vous, docteur M. »

Sa grossesse. Un enfant. Ils allaient avoir un bébé !

Tout s'éclairait maintenant. C'était pour cette raison que Meghan tenait tellement à en finir avec cette émission. Elle ne voulait rien lui dire pendant qu'ils étaient au beau milieu de l'enquête.

Il comprit aussi pourquoi elle avait appelé l'avocat d'Amanda. S'ils fondaient une famille, ils auraient absolument besoin d'un logement plus grand.

Jeff n'avait jamais voulu toucher à l'argent d'Amanda, mais qu'elle l'ait mentionné dans son testament était un fait. Si Jeff devait hériter de son trust, qu'il le désire ou non, ne fallait-il pas qu'ils soient au moins au courant ? Meghan était comme ça : elle était prévoyante.

Il sentit les larmes lui brûler les yeux.

Comment avait-il pu douter d'elle ? Elle avait appelé cet avocat uniquement parce qu'elle voulait faire des projets pour leur enfant. Sa façon de toujours penser à l'avenir était ce qu'il aimait tant chez elle.

Il contempla le téléphone qu'il tenait dans sa main. Meghan – la prévoyante – l'avait sûrement laissé derrière elle intentionnellement.

Il parcourut à nouveau ses messages, appels et mails. Il regarda même les photos, espérant trouver un indice.

Pour quelle raison l'avait-elle laissé à cet endroit ?

L'endroit. C'était ce qu'elle avait voulu lui indiquer. Il n'y avait rien *dans* l'appareil lui-même, c'était son emplacement qui était révélateur. Quelque chose de terrible s'était passé sur ce ponton.

Il sursauta en entendant le téléphone de Meghan sonner. Pourvu que ce soit elle. Que ce cauchemar se termine enfin.

« Allô ? »

Il y eut un silence à l'autre bout de la ligne, suivi de : « Jeff ? Ici Laurie Moran. Désolée de vous appeler si tard, mais j'ai perdu la décharge que Meghan a signée pour l'émission. Mon patron va être furieux. Meghan verrait-elle un inconvénient à ce que je passe la voir un instant ? Je dormirai mieux en sachant ce point réglé.

— Meghan n'est pas ici. Elle est… partie. Je vous en prie, aidez-moi à la retrouver. »

69

Laurie se tourna vers Marlene Henson.

« Il dit qu'elle est *"partie"* ? » L'inspectrice était visiblement troublée par ce qu'elle venait d'apprendre au cours de la dernière demi-heure. Laurie avait des informations qu'elle n'avait pas communiquées à la police, ses hommes avaient surveillé Jeff, plutôt que Meghan. Et maintenant, leur plan qui consistait à filer Meghan sans l'effrayer avait échoué.

Elle fit signe au policier qui se tenait à côté d'elle – un dénommé Tanner – de lui passer sa radio. « Peters, tu gardes toujours un œil sur Hunter ?

— Ouais, il est sur la plage. S'apprête à regagner l'hôtel. Il vient de téléphoner.

— Oui, malheureusement, c'est à nous qu'il parlait sur le téléphone de sa femme. Il dit qu'elle a disparu.

— Qu'est-ce que je dois faire ?

— Ramène-le – nous sommes dans le hall de l'hôtel –, j'aimerais bien comprendre ce qui se passe. »

Elle ne chercha pas à dissimuler sa colère. « Quant à vous, je n'arrive pas à croire que vous soyez restés des heures sans rien me dire. Vous auriez dû me montrer ces photos dès le moment où vous avez mis la main dessus. »

Leo s'interposa : « Minute. J'étais d'accord avec Laurie sur ce point. Nous ne pensions pas qu'il y avait urgence. Et nous sommes plus libres en tant qu'individus privés que la police. Dès qu'on commence à travailler avec vous, on est contraints par la loi. Nous avons cru faire le bon choix.

— Parce que maintenant, vous qui êtes policier, vous vous mettez dans la même catégorie que les journalistes et les avocats. »

Leo était sur le point de se justifier quand Alex intervint : « Je pense qu'il est juste de dire que nous aurions pu agir autrement. Que pouvons-nous faire pour nous rattraper ?

— Commencez par me raconter ce que vous m'avez caché d'autre. »

Laurie allait lui dire qu'il n'y avait rien de plus quand elle se souvint de quelque chose. « Jeremy, le photographe stagiaire. Je l'ai fait venir à l'hôtel pour prendre des photos de nos participants. Celles qu'il avait prises pour son compte il y a cinq ans nous avaient été utiles. J'ai pensé que cela valait le coup de recommencer.

— Et vous croyez qu'il est ici en ce moment ?

— Je ne sais pas. Mais je peux me renseigner. » Elle composa le numéro du portable de Jeremy. Il répondit aussitôt et confirma qu'il était à l'hôtel, dans la cour. « Venez nous rejoindre dans le hall tout de suite. C'est important », lui dit-elle.

Ils étaient en train de l'attendre quand Jeff apparut, accompagné d'un homme que Marlene Henson leur présenta, le sergent Peters.

Jeff parlait si vite qu'on avait du mal à le suivre. Un mail reçu par Meghan envoyé par Kate, mais qui n'était pas de Kate. Le téléphone laissé sur le ponton. Meghan avait téléphoné à l'avocat uniquement parce qu'ils allaient avoir un enfant.

L'inspectrice resta impassible. « Nous allons examiner tout ça quand vous vous expliquerez au commissariat. Mais pour l'instant, Jeff, nous devons retrouver votre femme. Sa disparition n'est pas bon signe. Nous avons quelques questions à lui poser. S'enfuir ainsi laisse supposer qu'elle pourrait être coupable.

— Coupable ? Attendez, j'étais sûr que vous alliez penser que c'était moi qui avais encore fait quelque chose de mal. Vous croyez donc que Meghan… ?

— Nous avons juste des questions à lui poser, ce qui signifie qu'il faut à tout prix la retrouver. À présent, pour commencer, pourriez-vous nous remettre ce téléphone ? »

Jeff cligna des yeux, l'air incrédule. « Non. » Il mit le téléphone dans sa poche de poitrine.

« Vous faites une erreur, monsieur.

— C'est ce qu'on appelle le Quatrième Amendement.

347

— Avec ce geste, vous prenez le risque qu'on vous soupçonne tous les deux d'avoir tué Amanda.

— Non, ce geste ne fait que répondre à l'urgence de la situation. Ma femme a disparu. Quelqu'un l'a enlevée sur ce ponton et, visiblement, vous ne me croyez pas. Au cas où elle appellerait ce numéro pour une raison quelconque, je veux pouvoir répondre. »

Laurie était sur le point d'intervenir quand elle aperçut Jeremy qui pénétrait dans le hall et se hâtait vers eux. « Jeremy, je vous en prie, dites-moi que vous avez vu Meghan. »

70

L'air apeuré, Jeremy regardait tour à tour l'inspectrice et les autres agents. « Ce sont des policiers, hein ? Ils cherchent toujours à vous coincer. Ils me soupçonnent du pire.

— Ne vous inquiétez pas, le rassura Laurie. Je leur ai dit que c'est moi qui vous ai engagé et demandé de photographier les gens. Savez-vous quelque chose à propos de Meghan ?

— Je l'ai vue.

— Où ? Quand ?

— Il y a une vingtaine de minutes, peut-être trente. Sur le ponton. Mais je ne veux pas lui attirer d'ennuis.

— Elle n'aura pas d'ennuis, mais il faut que nous la retrouvions. »

Jeremy lança un regard inquiet à Jeff. « J'ai peur qu'il n'apprécie pas ce que je vais dire. »

Jeff l'implora. « Je veux seulement retrouver ma femme. Dites-nous tout ce que vous savez.

— Je l'ai vue avec un autre homme. Sur le ponton.

— Quel homme ? demanda Jeff. Où sont-ils allés ?

— Je ne sais pas qui c'était. Je fais de bonnes photos de nuit, mais il est impossible de distinguer les visages. Ils étaient ensemble sur le ponton. Ensuite, ils sont montés dans un bateau.

— Jeremy, dit Laurie en tâchant de garder son calme, nous avons besoin de toutes les informations que vous pouvez nous donner. C'est un cas d'urgence. »

Jeremy couvrit son appareil de la main comme pour le protéger. Laurie comprit qu'il se méfiait d'eux. Ils ne pouvaient pas le forcer à parler, pas plus qu'à leur remettre l'appareil. Elle se souvint de la manière dont elle l'avait mis en confiance quand elle était allée chez lui, plus tôt dans la journée.

« Vous avez une chance d'aider Meghan, Jeremy. Tout ce que vous avez vu peut nous aider à trouver son assassin. Mais le temps presse. »

Les yeux de Jeremy brillèrent. « Meghan était assise sur le ponton et un homme est sorti d'un bateau. Je n'ai pas pu tout voir, mais elle est partie avec lui. »

Il souleva son appareil et commença à faire défiler les photos sur l'écran numérique. « On ne distingue pas son visage, comme je l'ai dit, mais il est plus grand que Meghan. »

Laurie ne vit rien d'autre que deux silhouettes sombres près d'un bateau. Comme Jeremy continuait à dérouler les images, elle le pria de revenir à l'une d'entre elles qui lui avait semblé plus contrastée que

350

les autres. « La voilà, dit-elle. J'ai vu quelque chose qui paraît un peu plus clair. »

S'arrêtant sur la photo, il expliqua : « Cette tache plus claire, c'est un panneau fixé sur le bateau. Le métal brillant reflète la lumière de la lune. C'est une bonne prise de vue, hein ? C'est pourquoi j'ai voulu faire un gros plan. Vous avez vraiment l'œil. »

Mais Laurie ne s'intéressait pas à l'aspect esthétique de la photo. L'important pour elle était l'inscription sur le panneau. LES FEMMES D'ABORD. Elle croyait savoir à qui appartenait le bateau.

« "Les femmes d'abord", dit-elle. Ça me rappelle quelque chose. »

Jeff regardait par-dessus son épaule. « C'est le panneau de Nick, s'écria-t-il. Il l'accroche sur tous les bateaux qu'il loue. Meghan est avec Nick ? Mais il est à Boca Raton avec un client.

— Non, absolument pas, dit Laurie. Il était ici, du moins au moment où cette photo a été prise.

— Il m'a envoyé un texto pendant le dîner. Il est parti il y a plusieurs heures.

— Alors, il est sans doute revenu, dit Laurie. Jeremy, vous êtes certain que Meghan est montée à bord de ce bateau de son plein gré ? »

Jeremy plissa le front, en proie au doute. « Je ne peux pas l'affirmer avec certitude. Je sais interpréter les mouvements et les expressions, mais dans l'obscurité, à cette distance ? J'ai simplement supposé... » Il regarda Jeff, l'air presque consterné. Il avait simplement supposé que Meghan avait

351

rendez-vous avec un autre homme, un type qui avait un beau bateau.

« Je ne comprends pas, soupira Jeff. Nick est mon ami.

— Peut-être pas », dit Laurie.

Elle avait l'impression que toutes les pièces se mettaient en place. Elle s'était concentrée sur Jeff et Meghan qui semblaient les seuls à avoir un mobile. Jeff, pour l'argent, et Meghan, pour épouser Jeff. Elle avait présumé que la personne qui avait tué Amanda – et Carly avant elle – avait de bonnes raisons de les éliminer. Mais elle aurait dû savoir mieux que personne que les tueurs ne s'attaquent pas toujours à leur vraie cible. Certains choisissent d'autres victimes dans le seul but de faire du mal à une tierce personne. Un sociopathe utilise ses proies comme des pions dans un jeu qu'il est seul à jouer.

L'assassin de Greg n'avait rien contre Greg en particulier. Il l'avait tué et aurait tué Laurie et Timmy uniquement pour se venger de quelqu'un d'autre.

Elle se rappela Grace disant qu'elle trouvait Nick beaucoup plus séduisant qu'Austin. Mais ils ne pouvaient rivaliser avec Jeff qui n'avait même pas besoin de faire d'efforts. La première fois qu'elle l'avait rencontré, il lui avait rappelé Greg. Il avait cette aisance naturelle qui ne s'apprenait pas et ne s'achetait pas.

« Il agit ainsi parce qu'il vous hait, Jeff. Il est jaloux. Vous avez été heureux avec des femmes qui vous aiment. Lui n'a que solitude et rage. Vous ne voyez donc pas ? La présence d'Austin le réconforte, parce qu'il pense qu'Austin ne le vaut pas. Mais vous êtes différent. Vous êtes une menace pour lui. Il veut avoir ce que vous avez mais en est incapable. Est-ce que Nick s'intéressait à Carly Romano à Colby ? »

La mention de Colby sembla éveiller un souvenir chez Jeff. « Je vous l'ai dit, c'était l'une des plus jolies filles du campus. Nous tournions tous autour d'elle. Mais non, c'est impossible, Nick ne peut pas avoir fait ça. Et il y a une minute, vous étiez prête à accuser Meghan.

— Je ne crois pas qu'elle soit coupable, dit Laurie. Elle est innocente, et elle est en danger. Marlene, comment pouvons-nous retrouver le bateau de Nick ? Nick a dit que c'était le plus sensationnel qu'on puisse louer dans la région. »

71

Les mains sur la barre, l'air marin lui fouettant le visage, Nick se sentait dans son élément. Il sourit. Les femmes d'abord. En temps normal ce message s'adressait aux nombreuses passagères qu'il invitait à bord. Mais ce soir la femme était Meghan. Elle n'était pas la première. La première avait été Carly, ensuite était venue Amanda. Meghan serait la troisième.

Trois femmes différentes, avec une personnalité bien à elles, mais un point commun : avoir toutes rejeté les avances de Nick et préféré ce pantin de Jeff.

S'emparer de Meghan avait été bien plus facile que de forcer Carly à monter dans sa voiture au moment où elle rentrait à pied de la fête, ou d'attirer Amanda hors de l'hôtel. Un e-mail provenant d'une adresse anonyme, soi-disant envoyé par Kate, et le tour était joué.

Avec Amanda, il n'avait pas feint d'être quelqu'un d'autre. Il aurait dû se douter qu'elle ne voudrait pas le rencontrer seule. Elle était comme Carly. Les femmes de ce genre le snobaient toujours, comme quelqu'un qu'on ne prend pas au sérieux, juste un flirt. Amanda les avait ostensiblement ignorés, lui et Austin, durant tout le trajet jusqu'au Grand Victoria, jusqu'à ce qu'il lui dise que Jeff voyait une autre femme dans son dos. Du coup, elle lui avait prêté attention ! Soudain, c'était lui qui avait eu les cartes en main.

Il jeta un regard à Meghan, affalée sur les coussins du fauteuil près de lui. Si seulement il avait connu la kétamine quand ils étaient étudiants. Une piqûre au cou aurait suffi pour anesthésier Carly. Elle n'était pas montée dans sa voiture de son plein gré.

Il coupa le contact. Ils avaient atteint le large. Meghan avait repris conscience, mais était complètement immobile sous l'effet de l'injection. D'après ce qu'il avait lu, elle resterait un bon moment dans cet état proche du rêve, incapable de faire un mouvement, comme si elle vivait dans un autre univers. Bientôt, elle serait au fond de l'eau, un poids aux pieds, et il arriverait chez son client sans que rien le trahisse.

« Comment ça va, Meghan ? »

Elle cligna des yeux, mais il savait que c'était involontaire. Elle ne contrôlait aucun de ses mouvements.

« Je dois avouer qu'entre les deux grandes passions de Jeff, c'est toi que j'ai toujours préférée. Amanda était une hypocrite. Elle prétendait que je lui plaisais, mais je savais ce qu'il en était. Je l'avais même entendue dire à Jeff : "Je ne comprends pas que Nick, qui est le contraire de toi, puisse être ton meilleur ami." Tu aurais vu son expression quand je lui ai dit que Jeff sortait avec une autre fille. Elle a tout de suite demandé si c'était toi, soit dit en passant. Une vraie copine, hein ? Elle mourait d'envie de connaître les détails, sans jeu de mots, mais je l'ai fait attendre. »

Il avait insinué que c'était l'une des filles invitées au mariage, juste pour la mettre au supplice. Il voulait être sûr que tout le monde était allé se coucher avant d'aller plus loin. Il lui avait dit de prendre sa voiture après le dîner et de l'attendre à la sortie de l'allée d'accès à l'hôtel. Ils iraient prendre un verre dans le steakhouse de l'autre côté de la rue.

Même alors, elle avait protesté, demandé pourquoi ils ne pouvaient pas se retrouver simplement au bar de l'hôtel. Mais ce soir-là, ce n'était pas elle qui menait le jeu. Nick se rappela leur conversation. « Ce que j'ai à te dire à propos de Jeff pourrait t'amener à le quitter. Dans ce cas, je ne veux pas qu'on remonte jusqu'à moi. Jeff est mon meilleur ami. Te dire ce que je sais me brise le cœur, mais en fin de compte, c'est mieux pour vous deux. Et je ne peux te mettre au courant que si nous nous retrouvons en dehors de l'hôtel. »

Les yeux de Meghan étaient maintenant fermés. « Je l'ai complètement manipulée », poursuivit Nick. Il ne pouvait dissimuler la satisfaction dans sa voix. « Le coup des alliances a été particulièrement astucieux. Jeff, cet imbécile qui ne s'intéresse pas à l'argent, n'avait pas refermé son coffre-fort. Au début, je les ai prises pour blaguer. Puis je me suis rendu compte

356

que je pouvais utiliser l'alliance d'Amanda pour pié-ger Jeff. Mais, toujours perfectionniste, j'ai trop bien caché son corps. J'ai pensé qu'il faudrait des semaines ou des mois avant de le découvrir. Mais cinq ans ? Et encore, il a fallu mon renseignement anonyme pour le trouver. »

Il sentit un frisson d'anticipation courir le long de son dos. Il avait loué le bateau en vue de sa réu-nion avec son client de Boca Raton, mais il allait en profiter. La police avait trouvé le corps d'Amanda, comme il l'avait prévu. Nick lesterait le corps. Avec le temps, ils retrouveraient les restes de Meghan finalement ramenés par la marée, comme ils avaient fini par retrouver ceux d'Amanda. Et Jeff passerait le restant de ses jours en prison.

« Je t'ai injecté une dose de kétamine suffisante pour t'immobiliser pendant deux ou trois heures. Du gâchis, à mon avis, parce qu'il te reste moins d'une heure à vivre. Ne t'affole pas, je ne vais pas t'étran-gler comme Carly. Quand je te jetterai par-dessus bord, tu seras incapable de bouger un muscle. Tu n'auras même pas le temps de prendre ta respira-tion avant de toucher l'eau. Tu couleras comme une pierre. »

Meghan White ne ressentait rien. Aucune sensa-tion physique. Elle était pétrifiée de terreur, mais son corps était en état d'apesanteur, comme si elle tra-versait un rêve. Il y avait un pistolet. Le bateau. Une piqûre au cou. Puis elle s'était réveillée, affaissée sur les coussins de cuir, les mains dans le dos. Elle n'avait pas l'impression qu'elles étaient attachées. Elles étaient simplement là, derrière elle. Elle ne pouvait pas faire un geste.

Elle ne pouvait même pas bouger les yeux, sinon elle aurait regardé Nick. Elle le voyait à peine, du coin de l'œil. Elle entendait sa voix et comprenait ce qu'il disait, mais elle ne savait pas si ses mots étaient réels ou si elle avait des hallucinations. Peut-être allait-elle se réveiller d'une seconde à l'autre dans son lit au Grand Victoria. Mais jusque-là, il lui fallait présumer que tout ce qui arrivait était la réalité.

Il faut que je sauve mon enfant, mais comment ? se dit-elle avec désespoir. Il y a sûrement un moyen. Je dois trouver un plan.

Nick paraissait confiant, comme s'il avait tout le temps de profiter de ce maudit bateau et de discourir sur ses funestes exploits. C'est ce qui te perdra, Nick Young, pensa-t-elle. Elle se souvint de l'e-mail qu'elle avait reçu de son médecin la veille. Mon enfant vivra, se jura-t-elle.

Elle devait juste se concentrer. Réveille-toi, Meghan, réveille-toi. Sauve-toi, et sauve ton enfant.

À chaque seconde, la voix de Nick lui parvenait plus clairement. Elle se sentait moins engourdie. « J'y ai pensé cent fois à New York, disait-il, mais je n'arrivais pas à t'attirer seule sans que personne le remarque. Je n'ai eu aucun mal à t'envoyer un mail au nom de Kate. Il m'a suffi d'ouvrir un de ces comptes gratuits et d'écrire "de la part de Kate" dans la rubrique "objet". Et ce bateau est l'idéal. Pour Amanda, j'ai dû courir huit kilomètres pour regagner l'hôtel sans qu'on me voie après avoir abandonné la voiture de location. Cette fois, je ne verserai pas une goutte de sueur. »

Il contempla Meghan avec un sourire satisfait. Il n'imaginait pas qu'elle se disait au fond d'elle-même : C'est ce qu'on verra. Dix ans plus tôt, elle avait pris des analgésiques après l'extraction d'une dent de sagesse. Elle s'était sentie mieux pendant une demi-heure, puis à nouveau prise d'une douleur atroce. En fait, le médicament n'avait pas eu sur elle l'effet escompté. Son médecin lui avait expliqué qu'elle possédait une variante génétique qui accroissait les enzymes du foie qui métabolisent certaines drogues. Elle était ce qu'on appelle un métaboliseur ultra-rapide.

Faites qu'il en soit ainsi maintenant. Pitié, je vous en prie. Elle bougea ses doigts contre les coussins et réussit à serrer le poing. Elle recourba ses orteils et sentit les muscles de ses jambes reprendre vie. C'est alors qu'elle entendit le moteur du bateau ralentir.

« On y est presque », dit Nick d'un ton détaché.

72

James Jackson, l'agent de l'Office de la pêche et de la nature en Floride, était impatient de donner suite à un appel concernant quelqu'un qui pratiquait le « surf fantôme » devant Delray Beach. Après avoir surveillé ces plages pendant huit ans, il savait que la vitesse sur l'eau attirait quelques écervelés, mais il n'avait jamais assisté à une séance de « surf fantôme. » D'après les rumeurs, certains idiots s'amusaient à bloquer l'accélérateur d'un bateau, puis à sauter sur un surfboard pour se faire remorquer sans personne à la barre. Jackson était convaincu qu'il s'agissait d'un mythe, mais ce soir-là quelqu'un avait appelé le 911. Faire du « surf fantôme » de nuit, un exploit dont on parlerait pendant des années.

Mais quand il arriva sur place, il n'y avait aucun « surfeur fantôme » à l'horizon, seulement un gamin traîné sur une planche par son père au volant d'un bateau à moteur, et le touriste égaré qui avait passé l'appel.

Bon, pensa Jackson, encore une nuit ordinaire. Ce job valait bien son boulot précédent au département de la police de Miami. À présent, les criminels les plus dangereux auxquels il était confronté étaient des touristes qui sous-estimaient les effets combinés du soleil et du rhum. Il avertit le père et le fils des dangers de la pratique des sports nautiques la nuit et leur suggéra de réduire leur vitesse et d'admirer les étoiles.

Loin devant, il vit un yacht de bonne taille qui se dirigeait vers lui.

73

Meghan avait d'abord remué ses doigts, puis ses orteils, maintenant elle sentait tout son corps s'éveiller. Elle avait l'esprit clair. Sa vision enregistrait chaque détail. Elle n'osait pas bouger, mais contractait et relâchait ses muscles pour s'assurer qu'elle était prête à agir.

Nick avait cessé de parler. Il fredonnait. Meghan sentit le cœur lui monter aux lèvres, non à cause de la drogue qu'il lui avait administrée, mais parce qu'il paraissait tellement heureux. Une vague de panique la submergea au souvenir de l'aiguille qui s'était enfoncée dans son cou. Quels pouvaient être les effets sur l'enfant ? Elle s'efforça de refouler cette question. Elle devait avant tout se concentrer. Ni elle ni son bébé n'auraient aucune chance si elle ne s'échappait pas de ce bateau.

Elle sentit le regard de Nick posé sur elle et continua à fixer les étoiles, feignant d'être toujours paralysée.

Nick se cala dans le fauteuil de pilotage, se tortilla, changea de position. Puis il passa la main dans son dos sous sa ceinture, retira le pistolet et le posa à côté de la barre.

Le voyant concentré à nouveau sur la conduite du bateau, Meghan tourna la tête, l'esprit tout à fait clair à présent, et regarda autour d'elle. Elle aperçut le pistolet sur la console à la droite de la barre, mais se rendit compte qu'elle ne pourrait jamais l'atteindre avant lui. Il y avait un objet semblable à un marteau dans un casier sur la rambarde devant elle. Un assommoir, si ses souvenirs étaient exacts. Durant leur partie de pêche avec Jeff, c'était l'instrument qu'ils avaient employé pour assommer les poissons qui étaient pris, hissés à bord et qui se débattaient sur le pont. Si elle pouvait l'utiliser pour frapper Nick, elle aurait peut-être une chance de s'emparer du pistolet. Je le tuerai s'il le faut, se promit-elle.

Quelques secondes plus tard, elle crut que le moment était venu. Nick tenait son portable dans la main droite et consultait un message tout en barrant le bateau de la main gauche.

Elle passa ses jambes par-dessus le bras du profond fauteuil de cuir. Trébuchant, elle s'avança en direction de l'assommoir, se pencha et s'en empara.

Ses jambes et ses bras obéissaient mal à ce que dictait son cerveau. Elle avait connu cet état une seule fois auparavant. Elle s'était jointe à des étudiants qui buvaient de la tequila. Amanda et Kate avaient dû la porter à moitié jusque chez elle tandis qu'elle s'efforçait désespérément d'obliger ses jambes à se mouvoir.

Aujourd'hui, elle avait à nouveau besoin de cette volonté.

Nick coupa le moteur et glissa son téléphone dans sa poche. L'endroit en valait un autre. Il ne lui restait plus qu'à aller chercher les haltères de Jeff dans la cabine. Il les avait fourrées au fond de son sac marin dans le gymnase de l'hôtel, un indice de plus pour mettre la police sur sa piste.

Au moment où il se levait pour aller dans la cabine, un coup violent l'atteignit à la tempe droite. Il s'écroula sur le côté et retomba sur son siège. Étourdi, il leva les yeux et vit Meghan tenant un objet au-dessus de sa tête, prête à le frapper de nouveau.

L'agent Jackson admirait le yacht qui s'approchait. Grand luxe se dit-il. Il crut reconnaître l'un de ces bateaux haut de gamme proposés à la location dans la région.

Le silence de la nuit fut rompu par le grésillement de sa radio, suivi d'une alerte. Un dispositif de pistage placé sur les yachts de luxe indiquait leur position exacte dans la zone. Les gardes-côtes étaient à sa poursuite. Le capitaine du bateau était un dénommé Nick Young, probablement armé et dangereux. À bord se trouvait sans doute la victime d'un enlèvement.

Jackson éteignit les feux de sa vedette et accéléra en direction du yacht qui faisait route vers lui.

Le deuxième coup atteignit Nick sur le côté du visage et le fit tomber du fauteuil. Mais dans sa chute, sa main effleura le pistolet, le projetant sur le pont à ses pieds. Horrifiée, Meghan le vit reprendre ses esprits et tendre la main vers l'arme.

Elle entendit au loin le moteur d'un bateau qui s'approchait. Venait-il à son secours ? Mais elle n'avait pas le temps d'en être sûre. Nick allait s'emparer du pistolet. Il l'abattrait sans hésiter.

Sentant la première balle frôler son cou, elle saisit le coussin sur le fauteuil, le plaqua sur son ventre et se jeta dans l'eau sombre.

L'agent Jackson vit se rapprocher les feux des gardes-côtes. Il entendit un coup de feu et, au même instant, une forme sauta dans la mer depuis le yacht. Il alluma son projecteur et le pointa vers l'eau.

Il vit quelqu'un sur le bateau viser la surface et tirer rapidement plusieurs coups.

Nick vit un rayon lumineux venant d'une embarcation qui s'approchait et entendit une voix dans un mégaphone, mais il ne pensait qu'à Meghan qui venait de plonger dans l'eau.

Il vit des remous agiter les vagues sombres. Il tira un coup, puis un autre, et encore un autre.

Meghan sentait l'eau froide et noire au-dessus d'elle, tandis qu'elle essayait de rester sous la surface aussi longtemps que son souffle le permettrait. Tout lui paraissait irréel. Elle espérait seulement avoir assez de force dans les bras et les jambes pour remonter à la surface.

Nick s'apprêtait à tirer à nouveau quand un faisceau de lumière aveuglant balaya le pont du yacht.

« Nick Young, vous êtes en état d'arrestation. Lâchez votre arme et mettez vos mains sur la tête sinon vous êtes un homme mort. »

Sentant ses poumons près d'exploser, Meghan battit des bras et des jambes jusqu'à ce que sa tête émerge de l'eau. Elle aspira une grande bouffée d'air et vit Nick en pleine lumière, la tête baissée et les mains levées. L'éclat d'un autre projecteur l'atteignit. Elle entendit une voix crier : « Restez où vous êtes. Nous venons vous chercher. » J'ai réussi, pensa-t-elle en posant une main sur son ventre. Nous sommes sauvés. Pour Jeff, toi et moi, tout ira bien maintenant.

Épilogue

Laurie contempla les lumières qui scintillaient sur l'East River. Cette vue allait lui manquer. Beaucoup de choses allaient lui manquer.

« Ah, tu es là », dit Alex en s'approchant d'elle. « Viens dans le bureau. L'émission va commencer.

— Tu sais, je l'ai déjà vue ! » dit-elle en souriant.

Alex avait généreusement offert d'accueillir chez lui les nombreuses personnes invitées à la projection. Outre l'équipe de production et la famille de Laurie, Sandra et Walter Pierce, qui étaient tous les deux à New York, en visite chez Charlotte, avaient accepté de se joindre à eux. Le frère d'Alex, Andrew, était également présent. C'était finalement l'occasion pour Laurie de le rencontrer.

Ramon avait parfaitement organisé la réception, avec un choix impressionnant de canapés et de sandwichs, et même un cocktail spécial nommé avec une touche d'humour noir « Les femmes d'abord ».

Laurie suivit Alex dans le bureau, où son père et Timmy lui avaient gardé une place entre eux sur le canapé. Il y avait exactement un mois que la nouvelle de l'arrestation spectaculaire de Nick Young avait éclaté dans la presse, à la télévision et sur Internet. Brett avait été déçu au début, persuadé que les médias traditionnels avaient coiffé Laurie au poteau.

Mais grâce aux accords exclusifs de Laurie avec les participants à l'émission, elle était la seule à disposer des récits personnels qui donnaient une touche humaine à la simple actualité. Jeff et Austin apparurent à nouveau à l'écran, rappelant qu'il leur était souvent arrivé de douter de l'assurance qu'affichait Nick. Laurie avait même réussi à persuader Marlene Henson de leur accorder une interview.

« Au début, il s'est retranché derrière ses avocats », raconta calmement l'inspectrice. « Il se vantait de pouvoir engager les meilleurs avocats du pays, dix fois meilleurs que vous, monsieur Buckley – ce sont ses mots, pas les miens. Mais je lui ai dit que peu m'importait le nombre d'avocats qui le défendraient ; il serait déclaré coupable au minimum du meurtre d'Amanda et de tentative d'assassinat sur Meghan. Je l'ai poussé à engager son bataillon d'avocats. C'était ce qu'il avait de mieux à faire. Puis il s'est mis à pleurer, rejetant la faute sur les victimes. »

Le plus fascinant fut le récit angoissant que fit Meghan de son enlèvement sur le ponton du Grand Victoria. « J'ai été tentée d'appeler à l'aide, mais personne n'aurait entendu mes cris couverts par le bruit de la mer. Je ne pensais qu'à une seule chose, notre enfant. »

L'après-midi même, Jeff avait envoyé à Laurie un e-mail disant qu'ils attendaient une petite fille. Ils avaient décidé de l'appeler Laura. « Sans vous et votre équipe, j'aurais toute ma vie été soupçonné de la mort d'Amanda. »

Laurie avait passé tellement de temps à monter le film qu'elle le connaissait par cœur. Elle savait que lorsque Alex commencerait sa conclusion, elle durerait exactement quatre-vingt-quatorze secondes. « Comme nous l'a dit un ancien profileur du FBI, Nick Young était animé par la haine – la haine envers l'amour romantique qu'il était sûr de ne jamais connaître. Il semble bien que les seules femmes qui l'ont repoussé dans sa vie étaient attirées par Jeff Hunter. Ce soir, Nick Young dormira derrière les barreaux, accusé du meurtre de deux femmes et d'une tentative de meurtre sur une troisième, dans trois États différents. Et peut-être les femmes pourront-elles désormais se sentir un peu plus en sécurité. »

Le générique commençait à défiler quand le téléphone de Laurie se mit à vibrer. C'était Brett, au comble de l'excitation : « Twitter n'arrive pas à suivre. On est en train de faire exploser l'Audimat. C'est l'émission du siècle. »

Les textos qui apparaissaient sur l'écran de son portable importaient davantage à Laurie que les compliments les plus dithyrambiques. Le premier était de Kate Fulton : *Je pleure Amanda, mais je suis si heureuse que vous ayez pu apporter finalement la paix à sa famille et à ses amis. Merci... pour tout*. Personne n'avait eu connaissance de son escapade avec Henry Pierce des années plus tôt au Grand Victoria. Ce ne serait pas Laurie qui vendrait la mèche.

Même Austin Pratt envoya un message : *Sur le point de me fiancer avec une fille merveilleuse. Une super-scientifique, tout à fait mon genre de femme. Vais passer de l'état d'oiseau solitaire à celui de tourtereau.*

Le suivant était de Jeff : *Nous sommes encore sous le choc, mais essayons de reprendre pied. P.-S. Remerciez encore Alex pour son aide*. Alex avait envoyé le CV de Jeff à trois grands cabinets d'avocats d'assises.

Les Pierce avaient insisté pour que Jeff accepte de toucher l'héritage de leur fille. Amanda aurait voulu que « saint Jeffrey » en soit le bénéficiaire.

Quand Sandra et Walter se levèrent du canapé, Laurie ne put s'empêcher de noter qu'ils s'étaient tenu la main pendant toute la soirée.

Au moment de partir, Charlotte murmura un remerciement à l'oreille de Laurie : « Toujours d'accord pour prendre un verre jeudi ? »

À sa grande surprise, Charlotte l'avait invitée à déjeuner à leur retour de Palm Beach. Elle pensait qu'elles étaient toutes les deux des femmes très occupées qui pourraient apprécier un peu de compagnie hors du bureau. Elle avait vu juste. C'était la première fois que Laurie se faisait une amie depuis la mort de Greg.

« Ça marche », répondit-elle.

Alex embrassa longuement Timmy à la porte de l'appartement. Laurie tâcha de se comporter comme si tout était normal, mais elle avait la gorge serrée en disant à son père qu'elle les retrouverait dans le hall. Quand ils furent tous partis, Alex lança à Ramon et à Andrew un regard qui les fit déguerpir vers leurs chambres respectives.

« Alors…, dit Alex tristement.

— Ce n'est pas comme si tu partais à des milliers de kilomètres.

— Mais nous n'allons plus nous voir tous les jours, ni pouvoir bavarder du matin au soir. Du moins pas au travail. »

Laurie baissa la tête. Pour la première fois, elle remarqua la beauté du tapis de l'entrée. Le reverrait-elle jamais ?

C'était exactement ce qu'elle avait dit à son père : si ça doit arriver, ça arrivera naturellement. Il ne fallait pas trop y penser. Alex ne pourrait plus collaborer à l'émission à cause de ses activités, mais s'ils étaient faits l'un pour l'autre, ils ne se quitteraient pas.

« Tu as vu Sandra et Walter ce soir ? » Elle cherchait à retarder le moment de lui dire au revoir. « On dirait qu'ils ont fini par surmonter leur crise. Certains couples sont des âmes sœurs, inséparables.

— Et parfois on en découvre une autre, dit Alex. Regarde Jeff. Il aimait Amanda, et maintenant il aime Meghan. Il a encore toute la vie devant lui. Amanda lui manque, mais il est heureux. »

Cet argument n'échappa pas à Laurie. « Bonsoir, Alex. » Il la prit dans ses bras dans l'entrée, se bornant à déposer un léger baiser dans ses cheveux.

En franchissant la porte, elle ne se doutait pas qu'Alex espérait que son absence lui donnerait le temps de décider si elle voulait de lui dans sa vie. Peut-être conviendrait-elle finalement qu'ils étaient faits l'un pour l'autre.

Timmy attendait dans le hall, s'efforçant de cacher un sourire narquois. C'était la seule chose qui pouvait la réconforter en ce moment.

« Maman, je suis triste pour tous mes amis, dit-il d'un air malicieux.

— Et pourquoi ça ? »

Elle se tourna vers Leo, se demandant à quelle blague elle devait s'attendre cette fois, mais il resta impassible.

« Parce que leurs mamans ne sont pas aussi géniales que toi. Tu attrapes les bandits. »

Quand il se serra contre elle, elle pensa qu'elle ne s'était jamais sentie aussi proche de lui. Et maintenant il lui tardait de se remettre au travail. Elle avait déjà trouvé le sujet de la prochaine émission. Une jeune femme était en prison pour un crime qu'elle n'avait pas commis, et elle allait le prouver.

REMERCIEMENTS

On connaît enfin le coupable ! Les autres personnages du roman ne sont plus objet de « suspiscion ».

Une fois encore l'écriture à quatre mains fut un plaisir. Lorsque Alafair Burke et moi actionnons ensemble nos neurones, nous nous amusons vraiment.

Marysue Rucci, mon éditrice chez Simon & Schuster, fut à nouveau notre guide dans ce voyage. Mille mercis pour l'aide qu'elle nous a apportée.

Merci à Frederick Jaccarino, urgentiste au Westerly Hospital, pour ses utiles indications sur les anesthésiants.

Root, root, root for the home team. Dans mon cas, ce sont mon merveilleux mari, John Conheeney ; mes enfants ; et ma main droite, ma fidèle assistante Nadine Petry ; tous prêts à m'offrir leurs mots d'encouragement et de précieux conseils. *Thank you, merci, gracias, etc.*

Et vous, mes chers lecteurs, qui êtes toujours dans mes pensées lorsque j'écris, je vous souhaite une bonne lecture.

JOYEUX NOËL, MERRY CHRISTMAS

NI VUE NI CONNUE

TU M'APPARTIENS

UNE SI LONGUE NUIT

ET NOUS NOUS REVERRONS

AVANT DE TE DIRE ADIEU

DANS LA RUE OÙ VIT CELLE QUE J'AIME

TOI QUE J'AIMAIS TANT

LE BILLET GAGNANT

UNE SECONDE CHANCE

ENTRE HIER ET DEMAIN

LA NUIT EST MON ROYAUME

RIEN NE VAUT LA DOUCEUR DU FOYER

DEUX PETITES FILLES EN BLEU

CETTE CHANSON QUE JE N'OUBLIERAI JAMAIS

LE ROMAN DE GEORGE ET MARTHA

OÙ ES-TU MAINTENANT ?

JE T'AI DONNÉ MON CŒUR

L'OMBRE DE TON SOURIRE

QUAND REVIENDRAS-TU ?

LES ANNÉES PERDUES

UNE CHANSON DOUCE

LE BLEU DE TES YEUX

LA BOÎTE À MUSIQUE

LE TEMPS DES REGRETS

NOIR COMME LA MER